全 世 界 无 产 者 ， 联 合 起 来 ！

纪念马克思诞辰 **200** 周年

马克思恩格斯著作特辑

马克思　恩格斯

共产党宣言

中共中央　马克思　恩格斯　著作编译局编译
　　　　　列　宁　斯大林

人民出版社

Karl Marx

编 辑 说 明

    2018 年 5 月 5 日,是马克思诞辰 200 周年。在人类历史上,马克思是对世界现代文明进程影响最深远的思想家和革命家。他和恩格斯共同创立的科学理论体系,是人类数千年来优秀文化的结晶,是工人阶级及其政党的行动指南,是中国人民为实现中华民族伟大复兴而团结奋斗的思想基础。为了缅怀和纪念这位伟大的革命导师,推进新时代马克思主义中国化、时代化、大众化事业,我们精选了马克思和恩格斯在各个时期写的具有代表性的重要著作,编成《马克思恩格斯著作特辑》,奉献给广大读者,以适应新形势下学习和研究马克思主义理论的需要。

    《马克思恩格斯著作特辑》的编辑宗旨是面向实践、贴近读者,坚持"要精、要管用"的原则,既涵盖马克思主义哲学、政治经济学和科学社会主义的理论体系,又体现马克思和恩格斯创立和发展科学理论的历史进程;既突出他们对国际共产主义运动和民族解放运动的正确指导和有力支持,又反映他们对中华民族发展前途的深情关注和殷切期望。

《马克思恩格斯著作特辑》包含《共产党宣言》和《资本论》等14部著作的单行本或节选本,此外还有一部专题选编本《马克思恩格斯论中国》。所有文献均采用马克思恩格斯著作最新版本的译文,以确保经典著作译文的统一性和准确性。自1995年起,由我局编译的《马克思恩格斯全集》中文第二版陆续问世,迄今已出版29卷;从2004年起,我们又先后编译并出版了《马克思恩格斯文集》十卷本和《马克思恩格斯选集》第三版。《马克思恩格斯著作特辑》收录的文献采用了上述最新版本的译文;对未收入上述版本的马克思恩格斯著作的译文,我们按照最新版本的编译标准进行了审核和校订。

《马克思恩格斯著作特辑》采用统一的编辑体例。我们将马克思、恩格斯在不同时期为一部著作撰写的序言或导言编排在这部著作正文前面,以利于读者认识经典作家的研究目的、写作缘起、论述思路和理论见解。我们还为一些重点著作增设了附录,收入对领会和研究经典著作正文有重要参考价值的文献和史料。我们为每一本书都撰写了《编者引言》,简要地综述相关著作的时代背景、思想精髓和历史地位,帮助读者理解原著、把握要义;同时概括地介绍相关著作写作和流传情况以及中文译本的编译出版情况,供读者参考。每一本书正文后面均附有注释和人名索引,以便于读者查考和检索。

《马克思恩格斯著作特辑》的技术规格沿用《马克思恩格斯全集》中文第二版的相关规定:在目录和正文中,凡标有星花 * 的标题都是编者加的;引文中尖括号〈 〉内的文字和标点符号是马克思、恩格斯加的,引文中加圈点处是马克思、恩格斯加着重号的地方;目录和正文中方括号[ ]内的文字是编者加的;未注明"编者注"的脚注是马克思、恩格斯的原注;人名索引的条目按汉语拼音字母顺序排列。

自2014年以来,由我局编译的《马列主义经典作家文库》陆续问世。这部《马克思恩格斯著作特辑》所收的文献,均已编入《文库》,特此说明。

中共中央　马克思　恩格斯　著作编译局
　　　　　列　宁　斯大林

2018年2月

目　录

插　图

编 者 引 言

　　《共产党宣言》是国际共产主义运动的第一个纲领性文献。这部文献的问世标志着马克思主义的诞生。在世界现代文明进程中,《宣言》是对人类社会变革和思想革命影响最深远的著作之一。

一

　　《共产党宣言》是马克思和恩格斯为共产主义者同盟起草的纲领。同盟是历史上第一个在科学社会主义理论指导下建立的无产阶级政党。它的前身是1836年成立的正义者同盟,这是一个主要由无产阶级化的手工业工人组成的德国政治流亡者秘密组织,后期也有一些其他国家的人参加。经过多年曲折起伏的斗争,正义者同盟领导人从一次次挫折和失败中汲取了教训,认识到他们所坚持的空想共产主义观点和宗派性、密谋性斗争方式在理论上是错误的,在实践上是有害的,只有马克思和恩格斯创立的科学理论才能引导工人阶级获得解放。1847年1月,正义者同盟领导人邀请马克思和恩格斯加入同盟,明确表示赞同马克思和恩格斯的观点,并诚恳希望他们帮助同盟进行改组。

马克思和恩格斯接受了正义者同盟领导人提出的请求,对同盟的改组工作进行了积极引导和支持。1847年6月,同盟在伦敦召开代表大会,恩格斯出席并指导大会的工作。大会决定把正义者同盟改名为共产主义者同盟,用马克思和恩格斯提出的"全世界无产者,联合起来!"这一战斗口号代替"人人皆兄弟"的旧口号。大会讨论并初步通过了《共产主义者同盟章程》草案。恩格斯在会议期间为同盟起草了第一个纲领稿本,即《共产主义信条草案》。与会者进行了认真讨论,决定将这个草案作为制订同盟纲领的基础,提请各支部进一步研究。这次大会作为共产主义者同盟第一次代表大会载入史册。

会议结束后,恩格斯于同年10月底至11月受同盟巴黎区部委托,在《共产主义信条草案》的基础上撰写了新的纲领草案《共产主义原理》,准备提交同盟第二次代表大会讨论。

1847年11月29日至12月8日,共产主义者同盟在伦敦召开第二次代表大会,马克思和恩格斯出席了会议,并牢牢掌握会议的方向。在长时间的辩论中,马克思和恩格斯阐述并捍卫了科学社会主义的理论主张,消除了同盟内部在指导方针和策略原则上存在的分歧和疑虑,赢得了大家的拥护,实现了思想的统一。与会代表认真讨论了恩格斯拟定的纲领草案《共产主义原理》,同时在马克思和恩格斯指导和参与下,进一步修订并正式通过了《共产主义者同盟章程》。这个《章程》对第一次代表大会初步通过的章程草案作了重要修订,特别是根据科学社会主义的基本理论,对同盟的革命目标作了更加确切的表述。《章程》第一条旗帜鲜明地指出:同盟的奋斗目标是"推翻资产阶级,建立无产阶级统治,消灭以阶级对立为基础的资产阶级旧社会,建立没有阶级、没有私有制的新社会"(见本书第138页)。大会一致赞同马克思和恩格斯的理论观点和策略思想,并委托他们起草一个准备公布的详细的理论和实践的党纲。

1847年12月9日至1848年1月底,马克思和恩格斯经过一个多月的努力,写成了《共产党宣言》。《宣言》吸收了《共产主义原理》的基本思想,并且按照恩格斯的建议,采用了内容连贯、逻辑严谨的论述方式,不再采用陈旧的教义问答形式。1848年2月底,《共产党宣言》第一个德文单行本在伦敦出版。《宣言》一问世便被译成欧洲多种文字。在最初出版的《宣言》各种版本中,马克思和恩格斯没有署名。1850年,英国宪章派机关刊物《红色共和党人》杂志刊载了《宣言》的英译文,编辑乔·哈尼在序言中第一次指出,这篇重要文献的作者是马克思和恩格斯。1872年,《宣言》出版了新的德文版。这一版以及后来出版的1883年德文版和1890年德文版,书名均为《共产主义宣言》。

二

《共产党宣言》的发表,开启了国际共产主义运动的新纪元。《宣言》运用历史唯物主义原理,指出原始土地公有制解体以来的全部历史都是阶级斗争的历史,即社会发展各个阶段上被剥削阶级和剥削阶级之间、被统治阶级和统治阶级之间斗争的历史。

《宣言》对资本主义作了系统而又深刻的分析,科学地评价了资产阶级的历史作用,揭示了资本主义的内在矛盾,论证了资本主义必然灭亡和共产主义必然胜利的人类社会发展规律。《宣言》阐述了无产阶级作为资本主义掘墓人肩负的伟大历史使命,指出:共产主义革命就是同传统的所有制关系实行最彻底的决裂,并在自己的发展进程中同传统的观念实行最彻底的决裂;共产主义的特征并不是要废除一般的所有制,而是要废除资产阶级的所有制;现代资产阶级私有制是建立在阶级对立上面、建立在少数人对多数人的剥削上面的产品生产和占有的最后而又最完备的表现,从这个意义上说,共产党人可以把自己的理论概括为一句话:消灭私有制;工人革命的第一步就是使无产阶级上升为统治阶级,争得民主,并尽可能快地增加生产力的总量;共产主义新社会必将代替那存在着阶级和阶级对立的资产阶级旧社会,这个新社会将是这样一个联合体,在那里,每个人的自由发展是一切人的自由发展的条件。

《共产党宣言》奠定了马克思主义建党学说的基础,论述了共产党的性质、特点、基本纲领和策略原则,指出在无产阶级和资产阶级的斗争中,共产党人始终代表整个运动的利益;在实践方面,共产党人是各国工人政党中最坚决的、始终起推动作用的部分,而在理论方面,他们胜过其余无产阶级群众的地方在于他们了解无产阶级运动的条件、进程和一般结果。《宣言》批判了当时流行的形形色色的社会主义流派,划清了科学社会主义与这些流派的界限,提出了"全世界无产者,联合起来!"这一战斗口号,启迪和引导各国无产阶级和劳动群众在科学社会主义旗帜下团结起来,共同为人类解放的伟大事业而斗争。

《共产党宣言》是马克思主义与无产阶级革命运动相结合的典范,是对马克思主义理论首次作出的完整系统而又简洁凝练的表述。正如列宁所说:"这部著作以天才的透彻而鲜明的语言描述了新的世界观,即把社会生活领域也包括在内的彻底的唯物主义、作为最全面最深刻的发展学说的辩证法以及关于阶级斗争和共产主义新社会创造者无产阶级肩负的世界历史性的革命使命的理论。"(见《列宁选集》第3版修订版第2卷第416页)列宁还指出:"这本书篇幅不多,价值却相当于多部巨著:它的精神至今还鼓舞着、推动着文明世界全体有组织的正在进行斗争的无产阶级。"(见《列宁选集》第3版修订版第1卷第93页)

《共产党宣言》阐述的科学理论,为无产阶级和共产党人认识世界和改造世界提供了强大的思想武器。在马克思恩格斯时代,《宣言》是全部社会主义文献中传播最广和最具有国际性的著作,是从西伯利亚到加利福尼亚的千百万工人公认的共同纲领。在马克思和恩格斯逝世以后的一百多年中,《宣言》被译成全世界各种主要文字,它的思想影响遍及全球。这是一部历史文献,然而它在现实中始终保持并显示出强大的生命力。世界社会主义运动和人类进步事业已经证明并将继续证明,《宣言》所揭示的是不可磨灭的客观规律和普遍真理。

本书正文部分全文刊出《共产党宣言》,同时收录马克思和恩格斯在不同时期为《宣言》的各种版本撰写的七篇序言。这些序言阐明了贯穿《宣言》的基本思想是唯物史观,强调《宣言》的任务就是宣告现代资产阶级所有制必然灭亡;回顾了《宣言》在各国的传播史,总结了国际共产主义运动的历史经验,并结合各个国家的不同条件,指明了无产阶级革命和民族解放运动的前进方向;论述了对待马克思主义理论的科学态度,指出不管情况发生多大的变化,《宣言》所阐述的一般原理整个说来是完全正确的,而这些原理的实际运用,随时随地都要以当时的历史条件为转移。这七篇序言对于我们全面深刻地把握《宣言》的理论精髓具有极其重要的意义。

三

为了帮助读者进一步深入了解《共产党宣言》产生的历史背景、写作过程、科学内涵和指导意义,我们在本书附录部分精选了恩格斯的三篇著作,即《共产主义信条草案》、《共产主义原理》和《关于共产主义者同盟的历史》;摘选了马克思恩格斯关于《共产党宣言》的重要论述;此外还收录了一篇历史文献,即《共产主义者同盟章程》。

恩格斯的《共产主义信条草案》和《共产主义原理》是《共产党宣言》的重要准备著作。这两篇文献阐明了共产主义理论的本质,论述了无产阶级的阶级特性和历史使命,揭示了资本主义灭亡和共产主义胜利的历史必然性,论述了废除资本主义私有制、建立社会主义公有制的必要条件以及未来新社会的基本特征,阐述了共产党人进行革命斗争的策略原则,批判了各种资产阶级和小资产阶级社会主义流派。恩格斯这两篇著作在一系列重大理论问题上为撰写《共产党宣言》厘清了思路,奠定了基础,是国际共产主义运动的重要历史文献。

《关于共产主义者同盟的历史》是恩格斯 1885 年为世界上第一个无产阶级革命政党撰写的简史。这篇文章介绍了共产主义者同盟在斗争中成立和发展的丰富史实,回顾了马克思和恩格斯用他们创立的科学理论指导无产阶级革命实践的艰辛历程,强调同盟是工人运动与科学社会主义相结合的产物,指出同盟之所以成为无产阶级的先进组织,是因为它摆脱了各种错误思潮的影响,选择了正确的指导思想,始终把《共产党宣言》所阐明的理论和策略作为行动指南。恩格斯这篇文章生动地展现了《宣言》诞生和传播的历史画卷,是我们学习和领悟《宣言》理论要旨的重要参考文献。

除了上述著作以外,马克思和恩格斯在各个历史时期的许多论著和书信中,还从不同角度对《共产党宣言》的写作过程、思想内涵、实践意义和历史地位作了精辟阐述和科学评价。本书附录部分精选了这些论述,按照时间顺序逐条编排,并标明出处,以便于读者查阅。

附录部分收录的《共产主义者同盟章程》是同盟成为无产阶级革命政党的重要标志。这个章程是共产主义者同盟第二次代表大会于 1847 年 12 月 8 日正式通过的。在涉及同盟的奋斗目标、组织原则、机构设置和活动方式等方面,这个章程对同盟第一次代表大会于 1847 年 6 月 9 日通过的章程草案进行了重大修改。马克思和恩格斯亲自参与了这个文件的修订和审议过程,以确保同盟在思想上、政治上、组织上始终坚持他们后来在《宣言》中阐明的科学社会主义原则,彻底摆脱空想社会主义和宗派主义的影响。在世界无产阶级政党史上,这是第一个体现马克思主义建党学说的党章。

四

  《共产党宣言》的理论思想在中国传播和运用的历史,是马克思主义中国化历程的一个缩影。近百年来,中国理论工作者为编译出版《宣言》的中文译本进行了不懈努力,为这部经典著作的广泛传播作出了宝贵贡献。

  20世纪初,中国资产阶级启蒙学者、资产阶级民主派以及无政府主义团体曾经零星地介绍过马克思恩格斯的学说和部分论著,其中也包括《共产党宣言》的片段。但他们的译介文字在理论上显得相当肤浅和片面,在表述上也不够准确和畅达。1917年俄国十月革命的伟大胜利,迅速引起了中国工人阶级先进分子对马克思主义的热烈向往。以李大钊为代表的革命先驱在极其艰难的条件下以各种方式宣传马克思主义理论,包括译介《共产党宣言》的有关章节,为马克思主义在中国的传播事业做了筚路蓝缕的开创性工作。1920年8月,陈望道翻译的《共产党宣言》由上海社会主义研究社正式出版发行。这是《宣言》在中国出版的第一个全译本,也是马克思恩格斯著作在中国出版的第一个单行本,标志着中国的马克思主义经典著作编译史揭开了崭新的一页。这个译本在革命队伍和进步人士中引起强烈反响,为中国共产党的诞生作了思想上、理论上的重要准备。

  1921年9月,中国共产党成立后不久就在上海成立了党的第一个出版机构——人民出版社。该社把《共产党宣言》作为计划出版的《马克思全书》15种中的第一种,重印了陈望道译本,此后这个译本不断再版。

新中国成立以前,还有一些马克思主义理论工作者和进步学者也积极投身于《共产党宣言》的翻译工作。在白色恐怖笼罩下的中国,相继出现过《宣言》的多种中文译本。这个事实说明,马克思主义真理的力量是不可阻挡的。《宣言》在这一历史时期的译本主要有:华岗翻译的中文本(1930年上海华兴书局出版);成仿吾、徐冰翻译的中文本(1938年延安解放社出版);博古校译的中文本(1943年延安解放社出版);陈瘦石翻译的中文本(最初作为附录刊于商务印书馆1945年出版的《比较经济制度》一书下册,后来以单行本形式印行);乔冠华校译的中文本(1947年中国出版社出版,香港印刷合作社承印)。此外,1949年莫斯科外国文书籍出版局还出版了《共产党宣言》"百周年纪念版",即由唯真译校的《宣言》中文本。上述译本为我们党加强理论武装作出了历史性贡献,同时也为后人进一步修订和完善《宣言》的译文奠定了基础。

新中国成立后,在社会主义建设和改革时期,《共产党宣言》成为广大干部群众学习马克思主义的最重要的教材之一。中央编译局高度重视先驱者们积累的经验和成果,以严谨负责的态度进一步提高《宣言》译文的质量,努力使中文译本更加准确地反映原著的思想精髓和语言风格。五十多年来,我们按照博采众长、集思广益、一丝不苟、精益求精的要求,对已有的译文进行了多次修订:

1958年,我们在《马克思恩格斯文选》两卷集(1954—1955年莫斯科外国文书籍出版局出版)所收的《共产党宣言》"百周年纪念版"译文基础上,集体校订了《宣言》的中译文,由唯真定稿,编入《马克思恩格斯全集》中文第一版第4卷,接着又于1959年出版了包括七篇序言在内的单行本;

1964 年,我们依据《马克思恩格斯全集》德文版第 4 卷刊出的《宣言》原文,参考 1888 年由赛米尔·穆尔翻译并经恩格斯校订的英文版、1885 年由劳拉·拉法格翻译并经恩格斯校阅的法文版以及《马克思恩格斯全集》俄文第一版和第二版中的译文,同时参考以往出版的各种中文译本,采取集体校订、集体定稿的方式,对《马克思恩格斯全集》中文第一版第 4 卷中的《宣言》译文进行了全面修订,出版了单行本,此后又略加修订,编入 1972 年出版的《马克思恩格斯选集》第一版第 1 卷;

1978 年,我们在上述译本基础上,审校了《宣言》的译文,编入中共中央党校纂辑的《马列著作毛泽东著作选读·科学社会主义部分》,后来又出版了单行本;

1995 年,我们在编译《马克思恩格斯选集》第二版的过程中,对《宣言》的译文作了进一步修订,编入《选集》第 1 卷,并出版了单行本;

从 2004 年起,在中央组织实施的马克思主义理论研究和建设工程中,我们对经典作家重点著作的译文进行了认真审核和修订。经过校订的《宣言》译文编入 2009 年出版的十卷本《马克思恩格斯文集》第 2 卷,此后又编入 2012 年出版的《马克思恩格斯选集》第三版第 1 卷。在努力提高《宣言》译文质量的同时,我们还对相关注释和索引进行了增补、勘正和完善。

在半个世纪时间内,一部译作经过如此精心的反复推敲和集体定稿,这在中外翻译史上是不多见的。五十年间,五次修订,目的就是为了使《共产党宣言》的中文译本日臻完善,让《宣言》的精辟思想进一步广泛传播、深入人心、代代相承。上述相继问世的版本就像一座座里程碑,昭示了马克思主义经典著作的影响力和生命力,见证了中国共产党人对理论建设的高度重视,体现了编译工作者为传播真理而奋斗的精诚与恒心,同时也从一个侧面反映了我们党运用马克思主义指导中国社会主义建设和改革的历程。在此期间,除了上述全国通用的译本之外,人民出版社还在 1978 年刊印过成仿吾的译本。

<h1 style="text-align:center">五</h1>

本书是在《马克思恩格斯文集》十卷本和《马克思恩格斯选集》第三版问世后刊行的《共产党宣言》新版单行本。这个版本比较完整地汇集了对于学习和研究《宣言》具有重要价值的理论文献和历史资料,这是本书在编辑方面的主要特点。

本书正文部分的《共产党宣言》和七篇序言以及附录部分的《共产主义原理》和《关于共产主义者同盟的历史》均采用《马克思恩格斯文集》的最新译文,并已编入《马克思恩格斯选集》第三版;《马克思恩格斯关于〈共产党宣言〉的重要论述摘编》则选自《马克思恩格斯选集》第三版、《马克思恩格斯文集》和《马克思恩格斯全集》中文第二版相关各卷。

本书附录部分收录的《共产主义信条草案》和《共产主义者同盟章程》,分别选自《马克思恩格斯全集》中文第一版第 42 卷正文和第 4 卷附录;在编辑本书时,我们依据柏林狄茨出版社出版的《共产主义者同盟文件和资料汇编》第 1 卷和《马克思恩格斯全集》德文版第 4 卷刊印的这两篇文献的原文,按照马克思恩格斯著作最新版本的编译标准,对译文进行了校订。

卡·马克思和弗·恩格斯

共产党宣言

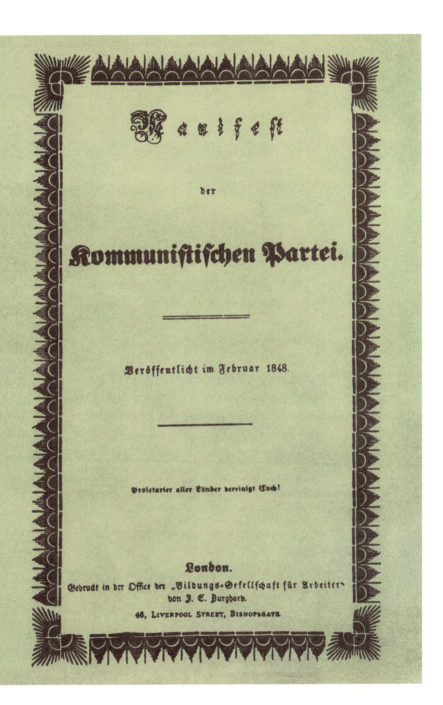

《共产党宣言》1848 年德文第 1 版封面

马克思和恩格斯起草《共产党宣言》（油画） 波利亚科夫

1872年德文版序言[1]

共产主义者同盟[2]这个在当时条件下自然只能是秘密团体的国际工人组织,1847年11月在伦敦举行的代表大会上委托我们两人起草一个准备公布的详细的理论和实践的党纲。结果就产生了这个《宣言》,《宣言》原稿在二月革命[3]前几星期送到伦敦付印。《宣言》最初用德文出版,它用这种文字在德国、英国和美国至少印过12种不同的版本。第一个英译本是由海伦·麦克法林女士翻译的,于1850年在伦敦《红色共和党人》[4]杂志上发表,1871年至少又有三种不同的英译本在美国出版。法译本于1848年六月起义[5]前不久第一次在巴黎印行,最近又有法译本在纽约《社会主义者报》[6]上发表;现在有人在准备新译本。波兰文译本在德文本初版问世后不久就在伦敦出现。俄译本是60年代在日内瓦出版的。丹麦文译本也是在原书问世后不久就出版了。

不管最近25年来的情况发生了多大的变化,这个《宣言》中所阐述的一般原理整个说来直到现在还是完全正确的。某些地方本来可以作一些修改。这些原理的实际运用,正如《宣言》中所说的,随时随地都要以当时的历史条件为转移,所以第二章末尾提出的那些革命措施根本没有特别的意义。如果是在今天,这一段在许多方面都会有不同的写法了。由于最近25年来大工业有了巨大发展而工人阶级的政党组织也跟着发展起来,由于首先有了二月革命的实际经验而后来尤其是有了无产阶级第一次掌握政权达两月之久的巴黎公社[7]的实际经验,所以这个纲领现在有些地方已经过时了。特别是公社已经证明:"工人阶级不能简单地掌握现成的国家机器,并运用它来达到自己的目的。"(见《法兰西内战。国际工人协会总委员会宣言》德文版第 19 页,那里对这个思想作了更详细的阐述。)[①]其次,很明显,对于社会主义文献所作的批判在今天看来是不完全的,因为这一批判只包括到 1847 年为止;同样也很明显,关于共产党人对待各种反对党派的态度的论述(第四章)虽然在原则上今天还是正确的,但是就其实际运用来说今天毕竟已经过时,因为政治形势已经完全改变,当时所列举的那些党派大部分已被历史的发展彻底扫除了。

但是《宣言》是一个历史文件,我们已没有权利来加以修改。下次再版时也许能加上一篇论述 1847 年到现在这段时期的导言。这次再版太仓促了,我们来不及做这件工作。

卡尔·马克思　弗里德里希·恩格斯

1872 年 6 月 24 日于伦敦

卡·马克思和弗·恩格斯写于 1872 年 6 月 24 日

原文是德文

载于 1872 年在莱比锡出版的德文版《共产主义宣言》一书

选自《马克思恩格斯选集》第 3 版第 1 卷第 376—377 页

---

① 见《马克思恩格斯选集》第 3 版第 3 卷第 95 页。——编者注

1882 年俄文版序言[8]

　　巴枯宁翻译的《共产党宣言》俄文第一版,60 年代初①由《钟声》[9]印刷所出版。当时西方认为这件事(《宣言》译成**俄文**出版)不过是著作界的一件奇闻。这种看法今天是不可能有了。

　　当时(1847 年 12 月)卷入无产阶级运动的地区是多么狭小,这从《宣言》最后一章《共产党人对各国各种反对党派的态度》②中可以看得很清楚。在这一章里,正好没有说到俄国和美国。那时,俄国是欧洲全部反动势力的最后一支庞大后备军;美国正通过移民吸收欧洲无产阶级的过剩力量。这两个国家,都向欧洲提供原料,同时又都是欧洲工业品的销售市场。所以,这两个国家不管怎样当时都是欧洲现存秩序的支柱。

　　今天,情况完全不同了!正是欧洲移民,使北美能够进行大规模的农业生产,这种农业生产的竞争震撼着欧洲大小土地所有制的根基。此外,这种移民还使美国能够以巨大的力量和规模开发其丰富的工业资源,以至于很快就会摧毁西欧特别是英国迄今为止的工业垄断地位。这两种情况反过来对美国本身也起着革命作用。作为整个政治制度基础的农场主的中小土地所有制,正逐渐

---

① 应是 1869 年。——编者注
② 《宣言》最后一章的标题应是《共产党人对各种反对党派的态度》。——编者注

被大农场的竞争所征服;同时,在各工业区,人数众多的无产阶级和神话般的资本积聚第一次发展起来了。

现在来看看俄国吧!在1848—1849年革命期间,不仅欧洲的君主,而且连欧洲的资产者,都把俄国的干涉看做是帮助他们对付刚刚开始觉醒的无产阶级的唯一救星。沙皇被宣布为欧洲反动势力的首领。现在,沙皇在加特契纳成了革命的俘虏**10**,而俄国已是欧洲革命运动的先进部队了。

《共产主义宣言》①的任务,是宣告现代资产阶级所有制必然灭亡。但是在俄国,我们看见,除了迅速盛行起来的资本主义狂热和刚开始发展的资产阶级土地所有制外,大半土地仍归农民公共占有。那么试问:俄国公社,这一固然已经大遭破坏的原始土地公共占有形式,是能够直接过渡到高级的共产主义的公共占有形式呢?或者相反,它还必须先经历西方的历史发展所经历的那个瓦解过程呢?

对于这个问题,目前唯一可能的答复是:假如俄国革命将成为西方无产阶级革命的信号而双方互相补充的话,那么现今的俄国土地公有制便能成为共产主义发展的起点。

卡尔·马克思 弗里德里希·恩格斯

1882 年 1 月 21 日于伦敦

卡·马克思和弗·恩格斯写于
1882 年 1 月 21 日

载于 1882 年 2 月 5 日《民意》杂
志第 8—9 期

原文是德文

选自《马克思恩格斯选集》第 3 版第
1 卷第 378—379 页

---

① 即《共产党宣言》。——编者注

1883年德文版序言[11]

本版序言不幸只能由我一个人署名了。马克思这位比其他任何人都更应受到欧美整个工人阶级感谢的人物,已经长眠于海格特公墓,他的墓上已经初次长出了青草。在他逝世以后,就更谈不上对《宣言》作什么修改或补充了。因此,我认为更有必要在这里再一次明确地申述下面这一点。

贯穿《宣言》的基本思想:每一历史时代的经济生产以及必然由此产生的社会结构,是该时代政治的和精神的历史的基础;因此(从原始土地公有制解体以来)全部历史都是阶级斗争的历史,即社会发展各个阶段上被剥削阶级和剥削阶级之间、被统治阶级和统治阶级之间斗争的历史;而这个斗争现在已经达到这样一个阶段,即被剥削被压迫的阶级(无产阶级),如果不同时使整个社会永远摆脱剥削、压迫和阶级斗争,就不再能使自己从剥削它压迫它的那个阶级(资产阶级)下解放出来。——这个基本思想完全是属于马克思一个人的。①

---

① 恩格斯在1890年德文版转载该序言时在此处加了一个注:"我在英译本序言中说过:'在我看来这一思想对历史学必定会起到像达尔文学说对生物学所起的那样的作用,我们两人早在1845年前的几年中就已经逐渐接近了这个思想。当时我个人独自在这方面达到什么程度,我的《英国工人阶级状况》一书就是最好的说明。但是到1845年春我在布鲁塞尔再次见到马克思时,他已经把这个思想考虑成熟,并且用几乎像我在上面所用的那样明晰的语句向我说明了。'"——编者注

这一点我已经屡次说过,但正是现在必须在《宣言》正文的前面也写明这一点。

弗·恩格斯

1883 年 6 月 28 日于伦敦

弗·恩格斯写于 1883 年 6 月 28 日

载于 1883 年在霍廷根—苏黎世出版的德文版《共产主义宣言》一书

原文是德文

选自《马克思恩格斯选集》第 3 版第 1 卷第 380—381 页

1888 年英文版序言[12]

　　《宣言》是作为共产主义者同盟[2]的纲领发表的,这个同盟起初纯粹是德国工人团体,后来成为国际工人团体,而在 1848 年以前欧洲大陆的政治条件下必然是一个秘密的团体。1847 年 11 月在伦敦举行的同盟代表大会,委托马克思和恩格斯起草一个准备公布的完备的理论和实践的党纲。手稿于 1848 年 1 月用德文写成,并在 2 月 24 日的法国革命[3]前几星期送到伦敦付印。法译本于 1848 年六月起义[5]前不久在巴黎出版。第一个英译本是由海伦·麦克法林女士翻译的,于 1850 年刊载在乔治·朱利安·哈尼的伦敦《红色共和党人》[4]杂志上。还出版了丹麦文译本和波兰文译本。

　　1848 年巴黎六月起义这一无产阶级和资产阶级间的第一次大搏斗的失败,又把欧洲工人阶级的社会的和政治的要求暂时推到后面去了。从那时起,争夺统治权的斗争,又像二月革命以前那样只是在有产阶级的各个集团之间进行了;工人阶级被迫局限于争取一些政治上的活动自由,并采取资产阶级激进派极左翼的立场。凡是继续显露出生机的独立的无产阶级运动,都遭到无情的镇压。例如,普鲁士警察发觉了当时设在科隆的共产主义者同盟中央委员会。一些成员被逮捕,并且在经过 18 个月监禁之后于

1852年10月被交付法庭审判。这次有名的"科隆共产党人案件"[13]从10月4日一直继续到11月12日;被捕者中有七人被判处三至六年的要塞监禁。宣判之后,同盟即由剩下的成员正式解散。至于《宣言》,似乎注定从此要被人遗忘了。

当欧洲工人阶级重新聚集了足以对统治阶级发动另一次进攻的力量的时候,产生了国际工人协会[14]。但是,这个协会成立的明确目的是要把欧美正在进行战斗的整个无产阶级团结为一个整体,因此,它不能立刻宣布《宣言》中所提出的那些原则。国际必须有一个充分广泛的纲领,使英国工联[15],法国、比利时、意大利和西班牙的蒲鲁东派[16]以及德国的拉萨尔派①[17]都能接受。马克思起草了这个能使一切党派都满意的纲领,他对共同行动和共同讨论必然会产生的工人阶级的精神发展充满信心。反资斗争中的种种事件和变迁——失败更甚于胜利——不能不使人们认识到他们的各种心爱的万应灵丹都不灵,并为他们更透彻地了解工人阶级解放的真正的条件开辟道路。马克思是正确的。当1874年国际解散时,工人已经全然不是1864年国际成立时的那个样子了。法国的蒲鲁东主义和德国的拉萨尔主义已经奄奄一息,甚至那些很久以前大多数已同国际决裂的保守的英国工联也渐有进步,以致去年在斯旺西,工联的主席能够用工联的名义声明说:"大陆社会主义对我们来说再不可怕了。"[18]的确,《宣言》的原则在世界各国工人中间都已传播得很广了。

---

① 恩格斯在这里加了一个注:"拉萨尔本人在我们面前总是自认为是马克思的学生,他作为马克思的学生是站在《宣言》的立场上的。但是他在1862—1864年期间进行的公开鼓动中,却始终没有超出靠国家贷款建立生产合作社的要求。"——编者注

这样,《宣言》本身又重新走上了前台。从 1850 年起,德文本在瑞士、英国和美国重版过数次。1872 年,有人在纽约把它译成英文,并在那里的《伍德赫尔和克拉夫林周刊》[19]上发表。接着又有人根据这个英文本把它译成法文,刊载在纽约的《社会主义者报》[6]上。以后在美国又至少出现过两种多少有些损害原意的英文译本,其中一种还在英国重版过。由巴枯宁翻译的第一个俄文本约于 1863 年①在日内瓦由赫尔岑办的《钟声》[9]印刷所出版;由英勇无畏的维拉·查苏利奇翻译的第二个俄文本[20]于 1882 年也在日内瓦出版。新的丹麦文译本[21]于 1885 年在哥本哈根作为《社会民主主义丛书》的一种出版。新的法文译本于 1886 年刊载在巴黎的《社会主义者报》上。[22]有人根据这个译本译成西班牙文,并于 1886 年在马德里发表。[23]至于德文的翻印版本,则为数极多,总共至少有 12 个。亚美尼亚文译本原应于几个月前在君士坦丁堡印出,但是没有问世,有人告诉我,这是因为出版人害怕在书上标明马克思的姓名,而译者又拒绝把《宣言》当做自己的作品。关于用其他文字出版的其他译本,我虽然听说过,但是没有亲眼看到。因此,《宣言》的历史在很大程度上反映着现代工人阶级运动的历史;现在,它无疑是全部社会主义文献中传播最广和最具有国际性的著作,是从西伯利亚到加利福尼亚的千百万工人公认的共同纲领。

可是,当我们写这个《宣言》时,我们不能把它叫做**社会主义**宣言。在 1847 年,所谓社会主义者,一方面是指各种空想主义体系的信徒,即英国的欧文派[24]和法国的傅立叶派[25],这两个流派都

---

① 应是 1869 年。——编者注

已经降到纯粹宗派的地位,并在逐渐走向灭亡;另一方面是指形形色色的社会庸医,他们凭着各种各样的补缀办法,自称要消除一切社会弊病而毫不危及资本和利润。这两种人都是站在工人阶级运动以外,宁愿向"有教养的"阶级寻求支持。只有工人阶级中确信单纯政治变革还不够而公开表明必须根本改造全部社会的那一部分人,只有他们当时把自己叫做共产主义者。这是一种粗糙的、尚欠修琢的、纯粹出于本能的共产主义;但它却接触到了最主要之点,并且在工人阶级当中已经强大到足以形成空想共产主义,在法国有卡贝的共产主义[26],在德国有魏特林的共产主义[27]。可见,在1847年,社会主义是资产阶级的运动,而共产主义则是工人阶级的运动。当时,社会主义,至少在大陆上,是"上流社会的",而共产主义却恰恰相反。既然我们自始就认定"工人阶级的解放应当是工人阶级自己的事情"[28],那么,在这两个名称中间我们应当选择哪一个,就是毫无疑义的了。而且后来我们也从没有想到要把这个名称抛弃。

虽然《宣言》是我们两人共同的作品,但我认为自己有责任指出,构成《宣言》核心的基本思想是属于马克思的。这个思想就是:每一历史时代主要的经济生产方式和交换方式以及必然由此产生的社会结构,是该时代政治的和精神的历史所赖以确立的基础,并且只有从这一基础出发,这一历史才能得到说明;因此人类的全部历史(从土地公有的原始氏族社会解体以来)都是阶级斗争的历史,即剥削阶级和被剥削阶级之间、统治阶级和被压迫阶级之间斗争的历史;这个阶级斗争的历史包括有一系列发展阶段,现在已经达到这样一个阶段,即被剥削被压迫的阶级(无产阶级),如果不同时使整个社会一劳永逸地摆脱一切剥削、压迫以及阶级差别和阶级斗争,就不能使自己从进行剥削和统治的那个阶级(资产阶级)的奴役下解放出来。

在我看来这一思想对历史学必定会起到像达尔文学说对生物学所起的那样的作用,我们两人早在 1845 年前的几年中就已经逐渐接近了这个思想。当时我个人独自在这方面达到什么程度,我的《英国工人阶级状况》①一书就是最好的说明。但是到 1845 年春我在布鲁塞尔再次见到马克思时,他已经把这个思想考虑成熟,并且用几乎像我在上面所用的那样明晰的语句向我说明了。

现在我从我们共同为 1872 年德文版写的序言中引录如下一段话:

"不管最近 25 年来的情况发生了多大的变化,这个《宣言》中所阐述的一般原理整个说来直到现在还是完全正确的。某些地方本来可以作一些修改。这些原理的实际运用,正如《宣言》中所说的,随时随地都要以当时的历史条件为转移,所以第二章末尾提出的那些革命措施根本没有特别的意义。如果是在今天,这一段在许多方面都会有不同的写法了。由于 1848 年以来大工业已有了巨大发展而工人阶级的组织也跟着有了改进和增长,由于首先有了二月革命的实际经验而后来尤其是有了无产阶级第一次掌握政权达两月之久的巴黎公社[7]的实际经验,所以这个纲领现在有些地方已经过时了。特别是公社已经证明:'工人阶级不能简单地掌握现成的国家机器,并运用它来达到自己的目的。'(见《法兰西内战。国际工人协会总委员会宣言》伦敦 1871 年特鲁拉夫版第 15

---

① 恩格斯在这里加了一个注:"《1844 年的英国工人阶级状况》,弗里德里希·恩格斯著,弗洛伦斯·凯利-威士涅威茨基译,1888 年纽约—伦敦拉弗尔出版社版,威·里夫斯发行。"——编者注

页,那里对这个思想作了更详细的阐述。)①其次,很明显,对于社会主义文献所作的批判在今天看来是不完全的,因为这一批判只包括到 1847 年为止;同样也很明显,关于共产党人对待各种反对党派的态度的论述(第四章)虽然在原则上今天还是正确的,但是就其实际运用来说今天毕竟已经过时,因为政治形势已经完全改变,当时列举的那些党派大部分已被历史的发展彻底扫除了。

但是《宣言》是一个历史文件,我们已没有权利来加以修改。"

本版译文是由译过马克思《资本论》一书大部分的赛米尔·穆尔先生翻译的。我们共同把译文校阅过一遍,并且我还加了一些有关历史情况的注释。

弗里德里希·恩格斯

1888 年 1 月 30 日于伦敦

弗·恩格斯写于 1888 年 1 月 30 日

原文是英文

载于 1888 年在伦敦出版的英文版《共产党宣言》一书

选自《马克思恩格斯选集》第 3 版第 1 卷第 382—387 页

---

① 见《马克思恩格斯选集》第 3 版第 3 卷第 95 页。——编者注

1890 年德文版序言[29]

自从我写了上面那篇序言①以来，又需要刊印《宣言》的新的德文版本了，同时《宣言》本身也有种种遭遇，应该在这里提一提。

1882 年在日内瓦出版了由维拉·查苏利奇翻译的第二个俄文本[20]，马克思和我曾为这个译本写过一篇序言。可惜我把这篇序言的德文原稿遗失了[30]，所以现在我只好再从俄文译过来，这样做当然不会使原稿增色。下面就是这篇序言：

"巴枯宁翻译的《共产党宣言》俄文第一版，60 年代初②由《钟声》[9]印刷所出版。当时西方认为《宣言》译成俄文出版不过是著作界的一件奇闻。这种看法今天是不可能有了。在《宣言》最初发表时期（1848 年 1 月）卷入无产阶级运动的地区是多么狭小，这从《宣言》最后一章《共产党人对各种反对党派的态度》中可以看得很清楚。在这一章里，首先没有说到俄国和美国。那时，俄国是欧洲反动势力的最后一支庞大后备军；向美国境内移民吸收着欧洲无产阶级的过剩力量。这两个国家，都向欧洲提供原料，同时又都是欧洲工业品的销售市场。所以，这两个国家不管怎样当时都

---

① 指 1883 年德文版序言，见本书第 7—8 页。——编者注
② 应是 1869 年。——编者注

是欧洲社会秩序的支柱。

今天,情况完全不同了！正是欧洲移民,使北美的农业生产能够大大发展,这种发展通过竞争震撼着欧洲大小土地所有制的根基。此外,这种移民还使美国能够以巨大的力量和规模开发其丰富的工业资源,以至于很快就会摧毁西欧的工业垄断地位。这两种情况反过来对美国本身也起着革命作用。作为美国整个政治制度基础的自耕农场主的中小土地所有制,正逐渐被大农场的竞争所征服;同时,在各工业区,人数众多的无产阶级和神话般的资本积聚第一次发展起来了。

现在来看看俄国吧！在1848—1849年革命期间,不仅欧洲的君主,而且连欧洲的资产者,都把俄国的干涉看做是帮助他们对付当时刚刚开始意识到自己力量的无产阶级的唯一救星。他们把沙皇宣布为欧洲反动势力的首领。现在,沙皇在加特契纳已成了革命的俘虏[10],而俄国已是欧洲革命运动的先进部队了。

《共产主义宣言》①的任务,是宣告现代资产阶级所有制必然灭亡。但是在俄国,我们看见,除了狂热发展的资本主义制度和刚开始形成的资产阶级土地所有制外,大半土地仍归农民公共占有。

那么试问:俄国农民公社,这一固然已经大遭破坏的原始土地公有制形式,是能直接过渡到高级的共产主义的土地所有制形式呢？或者,它还必须先经历西方的历史发展所经历的那个瓦解过程呢？

对于这个问题,目前唯一可能的答复是:假如俄国革命将成为西方工人革命的信号而双方互相补充的话,那么现今的俄国公有

---

① 即《共产党宣言》。——编者注

制便能成为共产主义发展的起点。

卡·马克思　弗·恩格斯

1882 年 1 月 21 日于伦敦"

大约在同一时候,在日内瓦出版了新的波兰文译本:《共产主义宣言》①。

随后又于 1885 年在哥本哈根作为《社会民主主义丛书》的一种出版了新的丹麦文译本。可惜这一译本不够完备;有几个重要的地方大概是因为译者感到难译而被删掉了,并且有些地方可以看到草率从事的痕迹,尤其令人遗憾的是,从译文中可以看出,要是译者细心一点,他是能够译得很好的。

1886 年在巴黎《社会主义者报》上刊载了新的法译文;这是到目前为止最好的译文。[22]

同年又有人根据这个法文本译成西班牙文,起初刊登在马德里的《社会主义者报》上,[23]接着又印成单行本:《共产党宣言》,卡·马克思和弗·恩格斯著,马德里,社会主义者报社,埃尔南·科尔特斯街 8 号。

这里我还要提到一件奇怪的事。1887 年,君士坦丁堡的一位出版商收到了亚美尼亚文的《宣言》译稿;但是这位好心人却没有勇气把这本署有马克思的名字的作品刊印出来,竟认为最好是由译者本人冒充作者,可是译者拒绝这样做。

在英国多次刊印过好几种美国译本,但都不大确切。到 1888 年终于出版了一种可靠的译本。这个译本是由我的友人赛米尔·

---

①　即《共产党宣言》。——编者注

· 17 ·

穆尔翻译的,并且在付印以前还由我们两人一起重新校阅过一遍。标题是:《共产党宣言》,卡尔·马克思和弗里德里希·恩格斯著。经作者认可的英译本,由弗里德里希·恩格斯校订并加注,1888年伦敦,威廉·里夫斯,东中央区弗利特街 185 号。这个版本中的某些注释,我已收入本版。

《宣言》有它本身的经历。它出现的时候曾受到当时人数尚少的科学社会主义先锋队的热烈欢迎(第一篇序言里提到的那些译本便可以证明这一点),但是不久它就被随着 1848 年 6 月巴黎工人失败**5**而抬起头来的反动势力排挤到后台去了,最后,由于 1852 年 11 月科隆共产党人被判刑**13**,它被"依法"宣布为非法。随着由二月革命**3**开始的工人运动退出公开舞台,《宣言》也退到后台去了。

当欧洲工人阶级又强大到足以对统治阶级政权发动另一次进攻的时候,产生了国际工人协会**14**。它的目的是要把欧美整个战斗的工人阶级联合成**一支**大军。因此,它不能从《宣言》中提出的那些原则**出发**。它必须有一个不致把英国工联**15**,法国、比利时、意大利和西班牙的蒲鲁东派**16**以及德国的拉萨尔派①**17**拒之于门外的纲领。这样一个纲领即国际章程绪论部分,是马克思起草的,其行文之巧妙连巴枯宁和无政府主义者也不能不承认。至于说到《宣言》中所提出的那些原则的最终胜利,马克思把希望完全寄托于共同行动和讨论必然会产生的工人阶级的精神的发展。反资本斗争中的

---

① 恩格斯在这里加了一个注:"拉萨尔本人在我们面前总是自认为是马克思的'学生',他作为马克思的'学生'当然是站在《宣言》的立场上的。但是他的那些信徒却不是如此,他们始终没有超出他所主张的靠国家贷款建立生产合作社的要求,并且把整个工人阶级划分为国家帮助派和自助派。"——编者注

种种事件和变迁——失败更甚于胜利——不能不使进行斗争的人们明白自己一向所崇奉的那些万应灵丹都不灵,并使他们的头脑更容易透彻地了解工人解放的真正的条件。马克思是正确的。1874年,当国际解散的时候,工人阶级已经全然不是 1864 年国际成立时的那个样子了。罗曼语各国的蒲鲁东主义和德国特有的拉萨尔主义已经奄奄一息,甚至当时极端保守的英国工联也渐有进步,以致1887 年在斯旺西,工联代表大会的主席能够用工联的名义声明说:"大陆社会主义对我们来说再不可怕了。"[18]而在 1887 年,大陆社会主义已经差不多完全是《宣言》中所宣布的那个理论了。因此,《宣言》的历史在某种程度上反映着 1848 年以来现代工人运动的历史。现在,它无疑是全部社会主义文献中传播最广和最具有国际性的著作,是从西伯利亚到加利福尼亚的所有国家的千百万工人的共同纲领。

可是,当《宣言》出版的时候,我们不能把它叫做**社会主义**宣言。在 1847 年,所谓社会主义者是指两种人。一方面是指各种空想主义体系的信徒,特别是英国的欧文派[24]和法国的傅立叶派[25],这两个流派当时都已经缩小成逐渐走向灭亡的纯粹的宗派。另一方面是指形形色色的社会庸医,他们想用各种万应灵丹和各种补缀办法来消除社会弊病而毫不伤及资本和利润。这两种人都是站在工人运动以外,宁愿向"有教养的"阶级寻求支持。相反,当时确信单纯政治变革还不够而要求根本改造社会的那一部分工人,则把自己叫做**共产主义者**。这是一种还没有很好加工的、只是出于本能的、往往有些粗陋的共产主义;但它已经强大到足以形成两种空想的共产主义体系:在法国有卡贝的"伊加利亚"共产主义[26],在德国有魏特林的共产主义[27]。在 1847 年,社会主义意味着资产阶级的运动,共产主义则意味着工人的运动。当时,社会主义,至少在大陆上,是上流社会的,而共产主义却恰恰相反。既然我们当时已经十分坚决地认定"工人的解放应当是工人阶级自己的事情"**28**,所以我们一刻也不怀疑究竟应该在这两个名称中间选定哪一个名称。而且后来我们也根本没有想到要把这个名称抛弃。

"全世界无产者,联合起来!"当42年前我们在巴黎革命即无产阶级带着自己的要求参加的第一次革命的前夜向世界上发出这个号召时,响应者还是寥寥无几。可是,1864年9月28日,大多数西欧国家中的无产者已经联合成为流芳百世的国际工人协会了。固然,国际本身只存在了九年,但它所创立的全世界无产者永久的联合依然存在,并且比任何时候更加强固,而今天这个日子就是最好的证明。因为今天我写这个序言的时候,欧美无产阶级正在检阅自己第一次动员起来的战斗力量,他们动员起来,组成**一支**大军,在**一个**旗帜下,为了**一个**最近的目的,即早已由国际1866年日内瓦代表大会宣布、后来又由1889年巴黎工人代表大会再度宣布的在法律上确立八小时正常工作日。**31**今天的情景将会使全世界的资本家和地主看到:全世界的无产者现在真正联合起来了。

如果马克思今天还能同我站在一起亲眼看见这种情景,那该多好啊!

弗·恩格斯

1890年5月1日于伦敦

弗·恩格斯写于1890年5月1日

原文是德文

载于1890年在伦敦出版的德文版《共产主义宣言》一书

选自《马克思恩格斯选集》第3版第1卷第388—393页

1892 年波兰文版序言³²

目前已有必要出版《共产主义宣言》①波兰文新版本这一事实,可以引起许多联想。

首先值得注意的是,近来《宣言》在某种程度上已经成为测量欧洲大陆大工业发展的一种尺度。某一国家的大工业越发展,该国工人想要弄清他们作为工人阶级在有产阶级面前所处地位的愿望也就越强烈,工人中间的社会主义运动也就越扩大,对《宣言》的需求也就越增长。因此,根据《宣言》用某国文字发行的份数,不仅可以相当准确地判断该国工人运动的状况,而且可以相当准确地判断该国大工业发展的程度。

因此,《宣言》波兰文新版本,标志着波兰工业的重大发展。而且从 10 年前上一版问世以来确实已有这种发展,这是丝毫不容置疑的。俄罗斯的波兰,会议桌上的波兰³³,已成为俄罗斯帝国的巨大的工业区。俄国的大工业分散于各处,一部分在芬兰湾沿岸,一部分在中央区(莫斯科和弗拉基米尔),一部分在黑海和亚速海沿岸,还有一些分散在其他地方;波兰的大工业则集中于一个比较狭小的地区,这种集中所产生的益处和害处,它都感受到了。这种益处是竞争对手俄国工厂主所承认的,他们虽然拼命想把波兰人变成俄罗斯人,同时却要求实行对付波兰的保护关税。至于这种

---

① 即《共产党宣言》。——编者注

害处,即对波兰工厂主和俄国政府的害处,则表现为社会主义思想在波兰工人中间迅速传播和对《宣言》的需求日益增长。

但是,波兰工业的迅速发展(它已经超过了俄国工业),又是波兰人民拥有强大生命力的新的证明,是波兰人民即将达到民族复兴的新的保证。而一个独立强盛的波兰的复兴是一件不仅关系到波兰人而且关系到我们大家的事情。欧洲各民族的真诚的国际合作,只有当每个民族自己完全当家作主的时候才能实现。1848年革命在无产阶级的旗帜下使无产阶级战士归根到底只做了资产阶级的工作,这次革命也通过自己的遗嘱执行人**34**路易·波拿巴和俾斯麦实现了意大利、德国和匈牙利的独立。至于波兰,虽然它从1792年以来对革命所作的贡献比这三个国家所作的全部贡献还要大,可是它于1863年在十倍于自己的俄国优势下失败的时候,却被抛弃不管了。波兰贵族既没有能够保持住波兰独立,也没有能够重新争得波兰独立;在资产阶级看来,波兰独立在今天至少是一件无关痛痒的事情。然而这种独立却是实现欧洲各民族和谐的合作所必需的。这种独立只有年轻的波兰无产阶级才能争得,而且在波兰无产阶级手里会很好地保持住。因为欧洲所有其余各国工人都像波兰工人本身一样需要波兰的独立。

弗·恩格斯

1892年2月10日于伦敦

弗·恩格斯写于1892年2月10日　　　　原文是德文

载于1892年2月27日《黎明》杂志第35期　　　　选自《马克思恩格斯选集》第3版第1卷第394—395页

1893年意大利文版序言[35]

致意大利读者

　　《共产党宣言》的发表,可以说正好碰上1848年3月18日这个日子,碰上米兰和柏林发生革命,这是两个民族的武装起义[36],其中一个处于欧洲大陆中心,另一个处于地中海各国中心;这两个民族在此以前都由于分裂和内部纷争而被削弱并因而遭到外族的统治。意大利受奥皇支配,而德国则受到俄国沙皇那种虽然不那么直接,但是同样可以感觉得到的压迫。1848年3月18日的结果使意大利和德国免除了这种耻辱;如果说,这两个伟大民族在1848—1871年期间得到复兴并以这种或那种形式重新获得独立,那么,这是因为,正如马克思所说,那些镇压1848年革命的人违反自己的意志充当了这次革命的遗嘱执行人。[34]

　　这次革命到处都是由工人阶级干的;构筑街垒和流血牺牲的都是工人阶级。只有巴黎工人在推翻政府的同时也抱有推翻资产阶级统治的明确意图。但是,虽然他们已经认识到他们这个阶级和资产阶级之间存在着不可避免的对抗,然而无论法国经济的进展或法国工人群众的精神的发展,都还没有达到可能实现社会改造的程度。因此,革命的果实最终必然被资本家阶级拿去。在其他国家,在意大利、德国、奥地利,工人从一开始就只限于帮助资产阶级取得政权。但是在任何国家,资产阶级的统治离开民族独立都是不行的。因此,1848年革命必然给那些直到那时还没有统一和独立的民族——意大利、德国、匈牙利——带来统一和独立。现在轮到波兰了。

由此可见,1848年革命虽然不是社会主义革命,但它毕竟为社会主义革命扫清了道路,为这个革命准备了基础。最近45年来,资产阶级制度在各国引起了大工业的飞速发展,同时造成了人数众多的、紧密团结的、强大的无产阶级;这样它就产生了——正如《宣言》所说——它自身的掘墓人。不恢复每个民族的独立和统一,那就既不可能有无产阶级的国际联合,也不可能有各民族为达到共同目的而必须实行的和睦的与自觉的合作。试想想看,在1848年以前的政治条件下,哪能有意大利工人、匈牙利工人、德意志工人、波兰工人、俄罗斯工人的共同国际行动!

可见,1848年的战斗并不是白白进行的。从这个革命时期起直到今日的这45年,也不是白白过去的。这个革命时期的果实已开始成熟,而我的唯一愿望是这个意大利文译本的出版能成为良好的预兆,成为意大利无产阶级胜利的预兆,如同《宣言》原文的出版成了国际革命的预兆一样。

《宣言》十分公正地评价了资本主义在先前所起过的革命作用。意大利是第一个资本主义民族。封建的中世纪的终结和现代资本主义纪元的开端,是以一位大人物为标志的。这位人物就是意大利人但丁,他是中世纪的最后一位诗人,同时又是新时代的最初一位诗人。现在也如1300年那样,新的历史纪元正在到来。意大利是否会给我们一个新的但丁来宣告这个无产阶级新纪元的诞生呢？

弗·恩格斯

1893 年 2 月 1 日于伦敦

弗·恩格斯写于 1893 年 1 月 31
日—2 月 1 日

载于 1893 年在米兰出版的意大
利文版《共产党宣言》一书

原文是法文

选自《马克思恩格斯选集》第 3 版第
1 卷第 396—398 页

共产党宣言

一个幽灵,共产主义的幽灵,在欧洲游荡。为了对这个幽灵进行神圣的围剿,旧欧洲的一切势力,教皇和沙皇、梅特涅和基佐、法国的激进派和德国的警察,都联合起来了。

有哪一个反对党不被它的当政的敌人骂为共产党呢?又有哪一个反对党不拿共产主义这个罪名去回敬更进步的反对党人和自己的反动敌人呢?

从这一事实中可以得出两个结论:

共产主义已经被欧洲的一切势力公认为一种势力;

现在是共产党人向全世界公开说明自己的观点、自己的目的、自己的意图并且拿党自己的宣言来反驳关于共产主义幽灵的神话的时候了。

为了这个目的,各国共产党人集会于伦敦,拟定了如下的宣言,用英文、法文、德文、意大利文、佛拉芒文和丹麦文公布于世。

一　资产者和无产者①

至今一切社会的历史②都是阶级斗争的历史。

自由民和奴隶、贵族和平民、领主和农奴、行会师傅③和帮工，一句话，压迫者和被压迫者，始终处于相互对立的地位，进行不断的、有时隐蔽有时公开的斗争，而每一次斗争的结局都是整个社会受到革命改造或者斗争的各阶级同归于尽。

---

① 恩格斯在 1888 年英文版上加了一个注："资产阶级是指占有社会生产资料并使用雇佣劳动的现代资本家阶级。无产阶级是指没有自己的生产资料，因而不得不靠出卖劳动力来维持生活的现代雇佣工人阶级。"——编者注

② 恩格斯在 1888 年英文版上加了一个注："这是指有**文字**记载的全部历史。在 1847 年，社会的史前史、成文史以前的社会组织，几乎还没有人知道。后来，哈克斯特豪森发现了俄国的土地公有制，毛勒证明了这种公有制是一切条顿族的历史起源的社会基础，而且人们逐渐发现，农村公社是或者曾经是从印度到爱尔兰的各地社会的原始形态。最后，摩尔根发现了**氏族**的真正本质及其对**部落**的关系，这一卓绝发现把这种原始共产主义社会的内部组织的典型形式揭示出来了。随着这种原始公社的解体，社会开始分裂为各个独特的、终于彼此对立的阶级。关于这个解体过程，我曾经试图在《家庭、私有制和国家的起源》(1886 年斯图加特第 2 版)中加以探讨。"——编者注

③ 恩格斯在 1888 年英文版上加了一个注："行会师傅就是在行会中享有全权的会员，是行会内部的师傅，而不是行会的首领。"——编者注

在过去的各个历史时代,我们几乎到处都可以看到社会完全划分为各个不同的等级,看到社会地位分成多种多样的层次。在古罗马,有贵族、骑士、平民、奴隶,在中世纪,有封建主、臣仆、行会师傅、帮工、农奴,而且几乎在每一个阶级内部又有一些特殊的阶层。

从封建社会的灭亡中产生出来的现代资产阶级社会并没有消灭阶级对立。它只是用新的阶级、新的压迫条件、新的斗争形式代替了旧的。

但是,我们的时代,资产阶级时代,却有一个特点:它使阶级对立简单化了。整个社会日益分裂为两大敌对的阵营,分裂为两大相互直接对立的阶级:资产阶级和无产阶级。

从中世纪的农奴中产生了初期城市的城关市民;从这个市民等级中发展出最初的资产阶级分子。

美洲的发现、绕过非洲的航行,给新兴的资产阶级开辟了新天地。东印度和中国的市场、美洲的殖民化、对殖民地的贸易、交换手段和一般商品的增加,使商业、航海业和工业空前高涨,因而使正在崩溃的封建社会内部的革命因素迅速发展。

以前那种封建的或行会的工业经营方式已经不能满足随着新市场的出现而增加的需求了。工场手工业代替了这种经营方式。行会师傅被工业的中间等级排挤掉了;各种行业组织之间的分工随着各个作坊内部的分工的出现而消失了。

但是,市场总是在扩大,需求总是在增加。甚至工场手工业也不再能满足需要了。于是,蒸汽和机器引起了工业生产的革命。现代大工业代替了工场手工业;工业中的百万富翁、一支一支产业大军的首领、现代资产者,代替了工业的中间等级。

　　大工业建立了由美洲的发现所准备好的世界市场。世界市场使商业、航海业和陆路交通得到了巨大的发展。这种发展又反过来促进了工业的扩展，同时，随着工业、商业、航海业和铁路的扩展，资产阶级也在同一程度上发展起来，增加自己的资本，把中世纪遗留下来的一切阶级排挤到后面去。

　　由此可见，现代资产阶级本身是一个长期发展过程的产物，是生产方式和交换方式的一系列变革的产物。

　　资产阶级的这种发展的每一个阶段，都伴随着相应的政治上的进展①。它在封建主统治下是被压迫的等级，在公社②里是武装的和自治的团体，在一些地方组成独立的城市共和国③，在另一些地方组成君主国中的纳税的第三等级④；后来，在工场手工业时期，它是等级君主国⑤或专制君主国中同贵族抗衡的势力，而且是大君主国的主要基础；最后，从大工业和世界市场建立的时候起，它在现代的代议制国家里夺得了独占的政治统治。现代的国家政权不过是管理整个资产阶级的共同事务的委员会罢了。

---

① "相应的政治上的进展"在 1888 年英文版中是"这个阶级的相应的政治上的进展"。——编者注

② 恩格斯在 1888 年英文版上加了一个注："法国的新兴城市，甚至在它们从封建主手里争得地方自治和'第三等级'的政治权利以前，就已经称为'公社'了。一般说来，这里是把英国当做资产阶级经济发展的典型国家，而把法国当做资产阶级政治发展的典型国家。"

　　恩格斯在 1890 年德文版上加了一个注："意大利和法国的市民，从他们的封建主手中买得或争得最初的自治权以后，就把自己的城市共同体称为'公社'。"——编者注

③ 在 1888 年英文版中这里加上了"（例如在意大利和德国）"。——编者注

④ 在 1888 年英文版中这里加上了"（例如在法国）"。——编者注

⑤ "等级君主国"在 1888 年英文版中是"半封建君主国"。——编者注

资产阶级在历史上曾经起过非常革命的作用。

资产阶级在它已经取得了统治的地方把一切封建的、宗法的和田园诗般的关系都破坏了。它无情地斩断了把人们束缚于天然尊长的形形色色的封建羁绊，它使人和人之间除了赤裸裸的利害关系，除了冷酷无情的"现金交易"，就再也没有任何别的联系了。它把宗教虔诚、骑士热忱、小市民伤感这些情感的神圣发作，淹没在利己主义打算的冰水之中。它把人的尊严变成了交换价值，用**一种**没有良心的贸易自由代替了无数特许的和自力挣得的自由。总而言之，它用公开的、无耻的、直接的、露骨的剥削代替了由宗教幻想和政治幻想掩盖着的剥削。

资产阶级抹去了一切向来受人尊崇和令人敬畏的职业的神圣光环。它把医生、律师、教士、诗人和学者变成了它出钱招雇的雇佣劳动者。

资产阶级撕下了罩在家庭关系上的温情脉脉的面纱，把这种关系变成了纯粹的金钱关系。

资产阶级揭示了，在中世纪深受反动派称许的那种人力的野蛮使用，是以极端怠惰作为相应补充的。它第一个证明了，人的活动能够取得什么样的成就。它创造了完全不同于埃及金字塔、罗马水道和哥特式教堂的奇迹；它完成了完全不同于民族大迁徙[37]和十字军征讨[38]的远征。

资产阶级除非对生产工具，从而对生产关系，从而对全部社会关系不断地进行革命，否则就不能生存下去。反之，原封不动地保持旧的生产方式，却是过去的一切工业阶级生存的首要条件。生产的不断变革，一切社会状况不停的动荡，永远的不安定和变动，这就是资产阶级时代不同于过去一切时代的地方。一切固定的僵化的关系以及与之相适应的素被尊崇的观念和见解都被消除了,一切新形成的关系等不到固定下来就陈旧了。一切等级的和固定的东西都烟消云散了,一切神圣的东西都被亵渎了。人们终于不得不用冷静的眼光来看他们的生活地位、他们的相互关系。

不断扩大产品销路的需要,驱使资产阶级奔走于全球各地。它必须到处落户,到处开发,到处建立联系。

资产阶级,由于开拓了世界市场,使一切国家的生产和消费都成为世界性的了。使反动派大为惋惜的是,资产阶级挖掉了工业脚下的民族基础。古老的民族工业被消灭了,并且每天都还在被消灭。它们被新的工业排挤掉了,新的工业的建立已经成为一切文明民族的生命攸关的问题;这些工业所加工的,已经不是本地的原料,而是来自极其遥远的地区的原料;它们的产品不仅供本国消费,而且同时供世界各地消费。旧的、靠本国产品来满足的需要,被新的、要靠极其遥远的国家和地带的产品来满足的需要所代替了。过去那种地方的和民族的自给自足和闭关自守状态,被各民族的各方面的互相往来和各方面的互相依赖所代替了。物质的生产是如此,精神的生产也是如此。各民族的精神产品成了公共的财产。民族的片面性和局限性日益成为不可能,于是由许多种民族的和地方的文学形成了一种世界的文学①。

资产阶级,由于一切生产工具的迅速改进,由于交通的极其便利,把一切民族甚至最野蛮的民族都卷到文明中来了。它的商品的低廉价格,是它用来摧毁一切万里长城、征服野蛮人最顽强的仇

---

① "文学"一词德文是"Literatur",这里泛指科学、艺术、哲学、政治等等方面的著作。——编者注

外心理的重炮。它迫使一切民族——如果它们不想灭亡的话——采用资产阶级的生产方式;它迫使它们在自己那里推行所谓的文明,即变成资产者。一句话,它按照自己的面貌为自己创造出一个世界。

资产阶级使农村屈服于城市的统治。它创立了巨大的城市,使城市人口比农村人口大大增加起来,因而使很大一部分居民脱离了农村生活的愚昧状态。正像它使农村从属于城市一样,它使未开化和半开化的国家从属于文明的国家,使农民的民族从属于资产阶级的民族,使东方从属于西方。

资产阶级日甚一日地消灭生产资料、财产和人口的分散状态。它使人口密集起来,使生产资料集中起来,使财产聚集在少数人的手里。由此必然产生的结果就是政治的集中。各自独立的、几乎只有同盟关系的、各有不同利益、不同法律、不同政府、不同关税的各个地区,现在已经结合为一个拥有**统一的**政府、**统一的**法律、**统一的**民族阶级利益和**统一的**关税的**统一的**民族。

资产阶级在它的不到一百年的阶级统治中所创造的生产力,比过去一切世代创造的全部生产力还要多,还要大。自然力的征服,机器的采用,化学在工业和农业中的应用,轮船的行驶,铁路的通行,电报的使用,整个整个大陆的开垦,河川的通航,仿佛用法术从地下呼唤出来的大量人口——过去哪一个世纪料想到在社会劳动里蕴藏有这样的生产力呢?

由此可见,资产阶级赖以形成的生产资料和交换手段,是在封建社会里造成的。在这些生产资料和交换手段发展的一定阶段上,封建社会的生产和交换在其中进行的关系,封建的农业和工场手工业组织,一句话,封建的所有制关系,就不再适应已经发展的生产力了。这种关系已经在阻碍生产而不是促进生产了。它变成了束缚生产的桎梏。它必须被炸毁，它已经被炸毁了。

起而代之的是自由竞争以及与自由竞争相适应的社会制度和政治制度、资产阶级的经济统治和政治统治。

现在，我们眼前又进行着类似的运动。资产阶级的生产关系和交换关系，资产阶级的所有制关系，这个曾经仿佛用法术创造了如此庞大的生产资料和交换手段的现代资产阶级社会，现在像一个魔法师一样不能再支配自己用法术呼唤出来的魔鬼了。几十年来的工业和商业的历史，只不过是现代生产力反抗现代生产关系、反抗作为资产阶级及其统治的存在条件的所有制关系的历史。只要指出在周期性的重复中越来越危及整个资产阶级社会生存的商业危机就够了。在商业危机期间，总是不仅有很大一部分制成的产品被毁灭掉，而且有很大一部分已经造成的生产力被毁灭掉。在危机期间，发生一种在过去一切时代看来都好像是荒唐现象的社会瘟疫，即生产过剩的瘟疫。社会突然发现自己回到了一时的野蛮状态；仿佛是一次饥荒、一场普遍的毁灭性战争，使社会失去了全部生活资料；仿佛是工业和商业全被毁灭了。这是什么缘故呢？因为社会上文明过度，生活资料太多，工业和商业太发达。社会所拥有的生产力已经不能再促进资产阶级文明和资产阶级所有制关系的发展；相反，生产力已经强大到这种关系所不能适应的地步，它已经受到这种关系的阻碍；而它一着手克服这种障碍，就使整个资产阶级社会陷入混乱，就使资产阶级所有制的存在受到威胁。资产阶级的关系已经太狭窄了，再容纳不了它本身所造成的财富了。资产阶级用什么办法来克服这种危机呢？一方面不得不消灭大量生产力，另一方面夺取新的市场，更加彻底地利用旧的市场。这究竟是怎样的一种办法呢？这不过是资产阶级准备更全面更猛烈的危机的办法,不过是使防止危机的手段越来越少的办法。

资产阶级用来推翻封建制度的武器,现在却对准资产阶级自己了。

但是,资产阶级不仅锻造了置自身于死地的武器;它还产生了将要运用这种武器的人——现代的工人,即**无产者**。

随着资产阶级即资本的发展,无产阶级即现代工人阶级也在同一程度上得到发展;现代的工人只有当他们找到工作的时候才能生存,而且只有当他们的劳动增殖资本的时候才能找到工作。这些不得不把自己零星出卖的工人,像其他任何货物一样,也是一种商品,所以他们同样地受到竞争的一切变化、市场的一切波动的影响。

由于推广机器和分工,无产者的劳动已经失去了任何独立的性质,因而对工人也失去了任何吸引力。工人变成了机器的单纯的附属品,要求他做的只是极其简单、极其单调和极容易学会的操作。因此,花在工人身上的费用,几乎只限于维持工人生活和延续工人后代所必需的生活资料。但是,商品的价格,从而劳动的价格[39],是同它的生产费用相等的。因此,劳动越使人感到厌恶,工资也就越减少。不仅如此,机器越推广,分工越细致,劳动量①也就越增加,这或者是由于工作时间的延长,或者是由于在一定时间内所要求的劳动的增加,机器运转的加速,等等。

现代工业已经把家长式的师傅的小作坊变成了工业资本家的大工厂。挤在工厂里的工人群众就像士兵一样被组织起来。他们

---

① "劳动量"在1888年英文版中是"劳动负担"。——编者注

是产业军的普通士兵，受着各级军士和军官的层层监视。他们不仅仅是资产阶级的、资产阶级国家的奴隶，他们每日每时都受机器、受监工、首先是受各个经营工厂的资产者本人的奴役。这种专制制度越是公开地把营利宣布为自己的最终目的，它就越是可鄙、可恨和可恶。

手的操作所要求的技巧和气力越少，换句话说，现代工业越发达，男工也就越受到女工和童工的排挤。对工人阶级来说，性别和年龄的差别再没有什么社会意义了。他们都只是劳动工具，不过因为年龄和性别的不同而需要不同的费用罢了。

当厂主对工人的剥削告一段落，工人领到了用现钱支付的工资的时候，马上就有资产阶级中的另一部分人——房东、小店主、当铺老板等等向他们扑来。

以前的中间等级的下层，即小工业家、小商人和小食利者，手工业者和农民——所有这些阶级都降落到无产阶级的队伍里来了，有的是因为他们的小资本不足以经营大工业，经不起较大的资本家的竞争；有的是因为他们的手艺已经被新的生产方法弄得不值钱了。无产阶级就是这样从居民的所有阶级中得到补充的。

无产阶级经历了各个不同的发展阶段。它反对资产阶级的斗争是和它的存在同时开始的。

最初是单个的工人，然后是某一工厂的工人，然后是某一地方的某一劳动部门的工人，同直接剥削他们的单个资产者作斗争。他们不仅仅攻击资产阶级的生产关系，而且攻击生产工具本身①；

----

① 这句话在1888年英文版中是"他们不是攻击资产阶级的生产关系，而是攻击生产工具本身"。——编者注

他们毁坏那些来竞争的外国商品,捣毁机器,烧毁工厂,力图恢复已经失去的中世纪工人的地位。

在这个阶段上,工人是分散在全国各地并为竞争所分裂的群众。工人的大规模集结,还不是他们自己联合的结果,而是资产阶级联合的结果,当时资产阶级为了达到自己的政治目的必须而且暂时还能够把整个无产阶级发动起来。因此,在这个阶段上,无产者不是同自己的敌人作斗争,而是同自己的敌人的敌人作斗争,即同专制君主制的残余、地主、非工业资产者和小资产者作斗争。因此,整个历史运动都集中在资产阶级手里;在这种条件下取得的每一个胜利都是资产阶级的胜利。

但是,随着工业的发展,无产阶级不仅人数增加了,而且结合成更大的集体,它的力量日益增长,而且它越来越感觉到自己的力量。机器使劳动的差别越来越小,使工资几乎到处都降到同样低的水平,因而无产阶级内部的利益、生活状况也越来越趋于一致。资产者彼此间日益加剧的竞争以及由此引起的商业危机,使工人的工资越来越不稳定;机器的日益迅速的和继续不断的改良,使工人的整个生活地位越来越没有保障;单个工人和单个资产者之间的冲突越来越具有两个阶级的冲突的性质。工人开始成立反对资产者的同盟①;他们联合起来保卫自己的工资。他们甚至建立了经常性的团体,以便为可能发生的反抗准备食品。有些地方,斗争爆发为起义。

工人有时也得到胜利,但这种胜利只是暂时的。他们斗争的真正成果并不是直接取得的成功,而是工人的越来越扩大的联合。

① 在1888年英文版中这里加上了"(工联)"。——编者注

这种联合由于大工业所造成的日益发达的交通工具而得到发展，这种交通工具把各地的工人彼此联系起来。只要有了这种联系，就能把许多性质相同的地方性的斗争汇合成全国性的斗争，汇合成阶级斗争。而一切阶级斗争都是政治斗争。中世纪的市民靠乡间小道需要几百年才能达到的联合，现代的无产者利用铁路只要几年就可以达到了。

无产者组织成为阶级，从而组织成为政党这件事，不断地由于工人的自相竞争而受到破坏。但是，这种组织总是重新产生，并且一次比一次更强大、更坚固、更有力。它利用资产阶级内部的分裂，迫使他们用法律形式承认工人的个别利益。英国的十小时工作日法案**40**就是一个例子。

旧社会内部的所有冲突在许多方面都促进了无产阶级的发展。资产阶级处于不断的斗争中：最初反对贵族；后来反对同工业进步有利害冲突的那部分资产阶级；经常反对一切外国的资产阶级。在这一切斗争中，资产阶级都不得不向无产阶级呼吁，要求无产阶级援助，这样就把无产阶级卷进了政治运动。于是，资产阶级自己就把自己的教育因素①即反对自身的武器给予了无产阶级。

其次，我们已经看到，工业的进步把统治阶级的整批成员抛到无产阶级队伍里去，或者至少也使他们的生活条件受到威胁。他们也给无产阶级带来了大量的教育因素②。

最后，在阶级斗争接近决战的时期，统治阶级内部的、整个旧

---

① “教育因素”在 1888 年英文版中是“政治教育和普通教育的因素”。
　　——编者注
② “大量的教育因素”在 1888 年英文版中是“启蒙和进步的新因素”。
　　——编者注

社会内部的瓦解过程,就达到非常强烈、非常尖锐的程度,甚至使得统治阶级中的一小部分人脱离统治阶级而归附于革命的阶级,即掌握着未来的阶级。所以,正像过去贵族中有一部分人转到资产阶级方面一样,现在资产阶级中也有一部分人,特别是已经提高到能从理论上认识整个历史运动的一部分资产阶级思想家,转到无产阶级方面来了。

在当前同资产阶级对立的一切阶级中,只有无产阶级是真正革命的阶级。其余的阶级都随着大工业的发展而日趋没落和灭亡,无产阶级却是大工业本身的产物。

中间等级,即小工业家、小商人、手工业者、农民,他们同资产阶级作斗争,都是为了维护他们这种中间等级的生存,以免于灭亡。所以,他们不是革命的,而是保守的。不仅如此,他们甚至是反动的,因为他们力图使历史的车轮倒转。如果说他们是革命的,那是鉴于他们行将转入无产阶级的队伍,这样,他们就不是维护他们目前的利益,而是维护他们将来的利益,他们就离开自己原来的立场,而站到无产阶级的立场上来。

流氓无产阶级是旧社会最下层中消极的腐化的部分,他们在一些地方也被无产阶级革命卷到运动里来,但是,由于他们的整个生活状况,他们更甘心于被人收买,去干反动的勾当。

在无产阶级的生活条件中,旧社会的生活条件已经被消灭了。无产者是没有财产的;他们和妻子儿女的关系同资产阶级的家庭关系再没有任何共同之处了;现代的工业劳动,现代的资本压迫,无论在英国或法国,无论在美国或德国,都是一样的,都使无产者失去了任何民族性。法律、道德、宗教在他们看来全都是资产阶级偏见,隐藏在这些偏见后面的全都是资产阶级利益。

过去一切阶级在争得统治之后,总是使整个社会服从于它们发财致富的条件,企图以此来巩固它们已经获得的生活地位。无产者只有废除自己的现存的占有方式,从而废除全部现存的占有方式,才能取得社会生产力。无产者没有什么自己的东西必须加以保护,他们必须摧毁至今保护和保障私有财产的一切。

过去的一切运动都是少数人的,或者为少数人谋利益的运动。无产阶级的运动是绝大多数人的,为绝大多数人谋利益的独立的运动。无产阶级,现今社会的最下层,如果不炸毁构成官方社会的整个上层,就不能抬起头来,挺起胸来。

如果不就内容而就形式来说,无产阶级反对资产阶级的斗争首先是一国范围内的斗争。每一个国家的无产阶级当然首先应该打倒本国的资产阶级。

在叙述无产阶级发展的最一般的阶段的时候,我们循序探讨了现存社会内部或多或少隐蔽着的国内战争,直到这个战争爆发为公开的革命,无产阶级用暴力推翻资产阶级而建立自己的统治。

我们已经看到,至今的一切社会都是建立在压迫阶级和被压迫阶级的对立之上的。但是,为了有可能压迫一个阶级,就必须保证这个阶级至少有能够勉强维持它的奴隶般的生存的条件。农奴曾经在农奴制度下挣扎到公社成员的地位,小资产者曾经在封建专制制度的束缚下挣扎到资产者的地位。现代的工人却相反,他们并不是随着工业的进步而上升,而是越来越降到本阶级的生存条件以下。工人变成赤贫者,贫困比人口和财富增长得还要快。由此可以明显地看出,资产阶级再不能做社会的统治阶级了,再不能把自己阶级的生存条件当做支配一切的规律强加于社会了。资产阶级不能统治下去了,因为它甚至不能保证自己的奴隶维持奴隶的生活,因为它不得不让自己的奴隶落到不能养活它反而要它来养活的地步。社会再不能在它统治下生存下去了,就是说,它的生存不再同社会相容了。

资产阶级生存和统治的根本条件,是财富在私人手里的积累,是资本的形成和增殖;资本的条件是雇佣劳动。雇佣劳动完全是建立在工人的自相竞争之上的。资产阶级无意中造成而又无力抵抗的工业进步,使工人通过结社而达到的革命联合代替了他们由于竞争而造成的分散状态。于是,随着大工业的发展,资产阶级赖以生产和占有产品的基础本身也就从它的脚下被挖掉了。它首先生产的是它自身的掘墓人。资产阶级的灭亡和无产阶级的胜利是同样不可避免的。

二　无产者和共产党人

共产党人同全体无产者的关系是怎样的呢？

共产党人不是同其他工人政党相对立的特殊政党。

他们没有任何同整个无产阶级的利益不同的利益。

他们不提出任何特殊的①原则，用以塑造无产阶级的运动。

共产党人同其他无产阶级政党不同的地方只是：一方面，在无产者不同的民族的斗争中，共产党人强调和坚持整个无产阶级共同的不分民族的利益；另一方面，在无产阶级和资产阶级的斗争所经历的各个发展阶段上，共产党人始终代表整个运动的利益。

因此，在实践方面，共产党人是各国工人政党中最坚决的、始终起推动作用的部分②；在理论方面，他们胜过其余无产阶级群众的地方在于他们了解无产阶级运动的条件、进程和一般结果。

共产党人的最近目的是和其他一切无产阶级政党的最近目的一样的：使无产阶级形成为阶级，推翻资产阶级的统治，由无产阶级夺取政权。

共产党人的理论原理，决不是以这个或那个世界改革家所发

---

① "特殊的"在1888年英文版中是"宗派的"。——编者注
② "最坚决的、始终起推动作用的部分"在1888年英文版中是"最先进的和最坚决的部分，推动所有其他部分前进的部分"。——编者注

明或发现的思想、原则为根据的。

这些原理不过是现存的阶级斗争、我们眼前的历史运动的真实关系的一般表述。废除先前存在的所有制关系,并不是共产主义所独具的特征。

一切所有制关系都经历了经常的历史更替、经常的历史变更。

例如,法国革命废除了封建的所有制,代之以资产阶级的所有制。

共产主义的特征并不是要废除一般的所有制,而是要废除资产阶级的所有制。

但是,现代的资产阶级私有制是建立在阶级对立上面、建立在一些人对另一些人的剥削①上面的产品生产和占有的最后而又最完备的表现。

从这个意义上说,共产党人可以把自己的理论概括为一句话:消灭私有制。

有人责备我们共产党人,说我们要消灭个人挣得的、自己劳动得来的财产,要消灭构成个人的一切自由、活动和独立的基础的财产。

好一个劳动得来的、自己挣得的、自己赚来的财产!你们说的是资产阶级财产出现以前的那种小资产阶级的、小农的财产吗?那种财产用不着我们去消灭,工业的发展已经把它消灭了,而且每天都在消灭它。

或者,你们说的是现代的资产阶级的私有财产吧?

---

① "一些人对另一些人的剥削"在 1888 年英文版中是"少数人对多数人的剥削"。——编者注

　　但是,难道雇佣劳动、无产者的劳动,会给无产者创造出财产来吗? 没有的事。这种劳动所创造的是资本,即剥削雇佣劳动的财产,只有在不断产生出新的雇佣劳动来重新加以剥削的条件下才能增殖的财产。现今的这种财产是在资本和雇佣劳动的对立中运动的。让我们来看看这种对立的两个方面吧。

　　做一个资本家,这就是说,他在生产中不仅占有一种纯粹个人的地位,而且占有一种社会的地位。资本是集体的产物,它只有通过社会许多成员的共同活动,而且归根到底只有通过社会全体成员的共同活动,才能运动起来。

　　因此,资本不是一种个人力量,而是一种社会力量。

　　因此,把资本变为公共的、属于社会全体成员的财产,这并不是把个人财产变为社会财产。这里所改变的只是财产的社会性质。它将失掉它的阶级性质。

　　现在,我们来看看雇佣劳动。

　　雇佣劳动的平均价格是最低限度的工资,即工人为维持其工人的生活所必需的生活资料的数额。因此,雇佣工人靠自己的劳动所占有的东西,只够勉强维持他的生命的再生产。我们决不打算消灭这种供直接生命再生产用的劳动产品的个人占有,这种占有并不会留下任何剩余的东西使人们有可能支配别人的劳动。我们要消灭的只是这种占有的可怜的性质,在这种占有下,工人仅仅为增殖资本而活着,只有在统治阶级的利益需要他活着的时候才能活着。

　　在资产阶级社会里,活的劳动只是增殖已经积累起来的劳动的一种手段。在共产主义社会里,已经积累起来的劳动只是扩大、丰富和提高工人的生活的一种手段。

因此,在资产阶级社会里是过去支配现在,在共产主义社会里是现在支配过去。在资产阶级社会里,资本具有独立性和个性,而活动着的个人却没有独立性和个性。

而资产阶级却把消灭这种关系说成是消灭个性和自由!说对了。的确,正是要消灭资产者的个性、独立性和自由。

在现今的资产阶级生产关系的范围内,所谓自由就是自由贸易、自由买卖。

但是,买卖一消失,自由买卖也就会消失。关于自由买卖的言论,也像我们的资产者的其他一切关于自由的大话一样,仅仅对于不自由的买卖来说,对于中世纪被奴役的市民来说,才是有意义的,而对于共产主义要消灭买卖、消灭资产阶级生产关系和资产阶级本身这一点来说,却是毫无意义的。

我们要消灭私有制,你们就惊慌起来。但是,在你们的现存社会里,私有财产对十分之九的成员来说已经被消灭了;这种私有制之所以存在,正是因为私有财产对十分之九的成员来说已经不存在。可见,你们责备我们,是说我们要消灭那种以社会上的绝大多数人没有财产为必要条件的所有制。

总而言之,你们责备我们,是说我们要消灭你们的那种所有制。的确,我们是要这样做的。

从劳动不再能变为资本、货币、地租,一句话,不再能变为可以垄断的社会力量的时候起,就是说,从个人财产不再能变为资产阶级财产①的时候起,你们说,个性被消灭了。

由此可见,你们是承认,你们所理解的个性,不外是资产者、资

① 在1888年英文版中这里加上了"变为资本"。——编者注

产阶级私有者。这样的个性确实应当被消灭。

共产主义并不剥夺任何人占有社会产品的权力，它只剥夺利用这种占有去奴役他人劳动的权力。

有人反驳说，私有制一消灭，一切活动就会停止，懒惰之风就会兴起。

这样说来，资产阶级社会早就应该因懒惰而灭亡了，因为在这个社会里劳者不获，获者不劳。所有这些顾虑，都可以归结为这样一个同义反复：一旦没有资本，也就不再有雇佣劳动了。

所有这些对共产主义的物质产品的占有方式和生产方式的责备，也被扩展到精神产品的占有和生产方面。正如阶级的所有制的终止在资产者看来是生产本身的终止一样，阶级的教育的终止在他们看来就等于一切教育的终止。

资产者唯恐失去的那种教育，对绝大多数人来说是把人训练成机器。

但是，你们既然用你们资产阶级关于自由、教育、法等等的观念来衡量废除资产阶级所有制的主张，那就请你们不要同我们争论了。你们的观念本身是资产阶级的生产关系和所有制关系的产物，正像你们的法不过是被奉为法律的你们这个阶级的意志一样，而这种意志的内容是由你们这个阶级的物质生活条件来决定的。

你们的利己观念使你们把自己的生产关系和所有制关系从历史的、在生产过程中是暂时的关系变成永恒的自然规律和理性规律，这种利己观念是你们和一切灭亡了的统治阶级所共有的。谈到古代所有制的时候你们所能理解的，谈到封建所有制的时候你们所能理解的，一谈到资产阶级所有制你们就再也不能理解了。

消灭家庭！连极端的激进派也对共产党人的这种可耻的意图

表示愤慨。

现代的、资产阶级的家庭是建立在什么基础上的呢？是建立在资本上面，建立在私人发财上面的。这种家庭只是在资产阶级那里才以充分发展的形式存在着，而无产者的被迫独居和公开的卖淫则是它的补充。

资产者的家庭自然会随着它的这种补充的消失而消失，两者都要随着资本的消失而消失。

你们是责备我们要消灭父母对子女的剥削吗？我们承认这种罪状。

但是，你们说，我们用社会教育代替家庭教育，就是要消灭人们最亲密的关系。

而你们的教育不也是由社会决定的吗？不也是由你们进行教育时所处的那种社会关系决定的吗？不也是由社会通过学校等等进行的直接的或间接的干涉决定的吗？共产党人并没有发明社会对教育的作用；他们仅仅是要改变这种作用的性质，要使教育摆脱统治阶级的影响。

无产者的一切家庭联系越是由于大工业的发展而被破坏，他们的子女越是由于这种发展而被变成单纯的商品和劳动工具，资产阶级关于家庭和教育、关于父母和子女的亲密关系的空话就越是令人作呕。

但是，你们共产党人是要实行公妻制的啊。整个资产阶级异口同声地向我们这样叫喊。

资产者是把自己的妻子看做单纯的生产工具的。他们听说生产工具将要公共使用，自然就不能不想到妇女也会遭到同样的命运。

《共产党宣言》手稿的一页，头两行为马克思夫人燕妮的手迹

　　他们想也没有想到,问题正在于使妇女不再处于单纯生产工具的地位。

　　其实,我们的资产者装得道貌岸然,对所谓的共产党人的正式公妻制表示惊讶,那是再可笑不过了。公妻制无需共产党人来实行,它差不多是一向就有的。

　　我们的资产者不以他们的无产者的妻子和女儿受他们支配为满足,正式的卖淫更不必说了,他们还以互相诱奸妻子为最大的享乐。

　　资产阶级的婚姻实际上是公妻制。人们至多只能责备共产党人,说他们想用正式的、公开的公妻制来代替伪善地掩蔽着的公妻制。其实,不言而喻,随着现在的生产关系的消灭,从这种关系中产生的公妻制,即正式的和非正式的卖淫,也就消失了。

　　有人还责备共产党人,说他们要取消祖国,取消民族。

　　工人没有祖国。决不能剥夺他们所没有的东西。因为无产阶级首先必须取得政治统治,上升为民族的阶级①,把自身组织成为民族,所以它本身还是民族的,虽然完全不是资产阶级所理解的那种意思。

　　随着资产阶级的发展,随着贸易自由的实现和世界市场的建立,随着工业生产以及与之相适应的生活条件的趋于一致,各国人民之间的民族分隔和对立日益消失。

　　无产阶级的统治将使它们更快地消失。联合的行动,至少是各文明国家的联合的行动,是无产阶级获得解放的首要条件之一。

　　人对人的剥削一消灭,民族对民族的剥削就会随之消灭。

---

① "民族的阶级"在 1888 年英文版中是"民族的领导阶级"。——编者注

民族内部的阶级对立一消失，民族之间的敌对关系就会随之消失。

从宗教的、哲学的和一切意识形态的观点对共产主义提出的种种责难，都不值得详细讨论了。

人们的观念、观点和概念，一句话，人们的意识，随着人们的生活条件、人们的社会关系、人们的社会存在的改变而改变，这难道需要经过深思才能了解吗？

思想的历史除了证明精神生产随着物质生产的改造而改造，还证明了什么呢？任何一个时代的统治思想始终都不过是统治阶级的思想。

当人们谈到使整个社会革命化的思想时，他们只是表明了一个事实：在旧社会内部已经形成了新社会的因素，旧思想的瓦解是同旧生活条件的瓦解步调一致的。

当古代世界走向灭亡的时候，古代的各种宗教就被基督教战胜了。当基督教思想在 18 世纪被启蒙思想击败的时候，封建社会正在同当时革命的资产阶级进行殊死的斗争。信仰自由和宗教自由的思想，不过表明自由竞争在信仰领域①里占统治地位罢了。

"但是"，有人会说，"宗教的、道德的、哲学的、政治的、法的观念等等在历史发展的进程中固然是不断改变的，而宗教、道德、哲学、政治和法在这种变化中却始终保存着。

此外，还存在着一切社会状态所共有的永恒真理，如自由、正义等等。但是共产主义要废除永恒真理，它要废除宗教、道德，而不

---

① "信仰领域"在 1872、1883 和 1890 年德文版中是"知识领域"。——编者注

是加以革新,所以共产主义是同至今的全部历史发展相矛盾的。"

这种责难归结为什么呢？至今的一切社会的历史都是在阶级对立中运动的,而这种对立在不同的时代具有不同的形式。

但是,不管阶级对立具有什么样的形式,社会上一部分人对另一部分人的剥削却是过去各个世纪所共有的事实。因此,毫不奇怪,各个世纪的社会意识,尽管形形色色、千差万别,总是在某些共同的形式中运动的,这些形式,这些意识形式,只有当阶级对立完全消失的时候才会完全消失。

共产主义革命就是同传统的所有制关系实行最彻底的决裂;毫不奇怪,它在自己的发展进程中要同传统的观念实行最彻底的决裂。

不过,我们还是把资产阶级对共产主义的种种责难撇开吧。

前面我们已经看到,工人革命的第一步就是使无产阶级上升为统治阶级,争得民主。

无产阶级将利用自己的政治统治,一步一步地夺取资产阶级的全部资本,把一切生产工具集中在国家即组织成为统治阶级的无产阶级手里,并且尽可能快地增加生产力的总量。

要做到这一点,当然首先必须对所有权和资产阶级生产关系实行强制性的干涉,也就是采取这样一些措施,这些措施在经济上似乎是不够充分的和无法持续的,但是在运动进程中它们会越出本身,[①]而且作为变革全部生产方式的手段是必不可少的。

这些措施在不同的国家里当然会是不同的。

_____

① 在1888年英文版中这里加上了"使进一步向旧的社会制度进攻成为必要"。——编者注

但是,最先进的国家几乎都可以采取下面的措施:

1.剥夺地产,把地租用于国家支出。

2.征收高额累进税。

3.废除继承权。

4.没收一切流亡分子和叛乱分子的财产。

5.通过拥有国家资本和独享垄断权的国家银行,把信贷集中在国家手里。

6.把全部运输业集中在国家手里。

7.按照共同的计划增加国家工厂和生产工具,开垦荒地和改良土壤。

8.实行普遍劳动义务制,成立产业军,特别是在农业方面。

9.把农业和工业结合起来,促使城乡对立①逐步消灭。②

10.对所有儿童实行公共的和免费的教育。取消现在这种形式的儿童的工厂劳动。把教育同物质生产结合起来,等等。

当阶级差别在发展进程中已经消失而全部生产集中在联合起来的个人③的手里的时候,公共权力就失去政治性质。原来意义上的政治权力,是一个阶级用以压迫另一个阶级的有组织的暴力。如果说无产阶级在反对资产阶级的斗争中一定要联合为阶级,通过革命使自己成为统治阶级,并以统治阶级的资格用暴力消灭旧的生产关系,那么它在消灭这种生产关系的同时,也就消灭了阶级

---

① "对立"在1872、1883和1890年德文版中是"差别"。——编者注

② 在1888年英文版中这一条是:"把农业和工业结合起来;通过把人口更平均地分布于全国的办法逐步消灭城乡差别。"——编者注

③ "联合起来的个人"在1888年英文版中是"巨大的全国联合体"。——编者注

对立的存在条件,消灭了阶级本身的存在条件①,从而消灭了它自己这个阶级的统治。

代替那存在着阶级和阶级对立的资产阶级旧社会的,将是这样一个联合体,在那里,每个人的自由发展是一切人的自由发展的条件。

①　"消灭了阶级本身的存在条件"在1872、1883和1890年德文版中是"消灭了阶级本身"。——编者注

三　社会主义的和共产主义的文献

1. 反动的社会主义

（甲）封建的社会主义

法国和英国的贵族,按照他们的历史地位所负的使命,就是写一些抨击现代资产阶级社会的作品。在法国的 1830 年七月革命[41]和英国的改革运动[42]中,他们再一次被可恨的暴发户打败了。从此就再谈不上严重的政治斗争了。他们还能进行的只是文字斗争。但是,即使在文字方面也不可能重弹复辟时期①的老调了。为了激起同情,贵族们不得不装模作样,似乎他们已经不关心自身的利益,只是为了被剥削的工人阶级的利益才去写对资产阶级的控诉书。他们用来泄愤的手段是:唱唱诅咒他们的新统治者的歌,并向他叽叽咕咕地说一些或多或少凶险的预言。

这样就产生了封建的社会主义,半是挽歌,半是谤文,半是过去的回音,半是未来的恫吓;它有时也能用辛辣、俏皮而尖刻的评论刺中资产阶级的心,但是它由于完全不能理解现代历史的进程

---

① 恩格斯在 1888 年英文版上加了一个注:"这里所指的不是 1660—1689 年英国的复辟时期,而是 1814—1830 年法国的复辟时期。"——编者注

而总是令人感到可笑。

为了拉拢人民，贵族们把无产阶级的乞食袋当做旗帜来挥舞。但是，每当人民跟着他们走的时候，都发现他们的臀部带有旧的封建纹章，于是就哈哈大笑，一哄而散。

一部分法国正统派[43]和"青年英国"[44]，都演过这出戏。

封建主说，他们的剥削方式和资产阶级的剥削不同，那他们只是忘记了，他们是在完全不同的、目前已经过时的情况和条件下进行剥削的。他们说，在他们的统治下并没有出现过现代的无产阶级，那他们只是忘记了，现代的资产阶级正是他们的社会制度的必然产物。

不过，他们毫不掩饰自己的批评的反动性质，他们控告资产阶级的主要罪状正是在于：在资产阶级的统治下有一个将把整个旧社会制度炸毁的阶级发展起来。

他们责备资产阶级，与其说是因为它产生了无产阶级，不如说是因为它产生了革命的无产阶级。

因此，在政治实践中，他们参与对工人阶级采取的一切暴力措施，在日常生活中，他们违背自己的那一套冠冕堂皇的言辞，屈尊拾取金苹果①，不顾信义、仁爱和名誉去做羊毛、甜菜和烧酒的买卖。②

---

① "金苹果"在1888年英文版中是"工业树上掉下来的金苹果"。——编者注

② 恩格斯在1888年英文版上加了一个注："这里主要是指德国，那里的土地贵族和容克通过管事自行经营自己的很大一部分土地，他们还开设大规模的甜菜糖厂和土豆酒厂。较富有的英国贵族还没有落到这种地步；但是，他们也知道怎样让人家用他们的名义创办颇为可疑的股份公司，以补偿地租的下降。"——编者注

正如僧侣总是同封建主携手同行一样，僧侣的社会主义也总是同封建的社会主义携手同行的。

要给基督教禁欲主义涂上一层社会主义的色彩，是再容易不过了。基督教不是也激烈反对私有财产，反对婚姻，反对国家吗？它不是提倡用行善和求乞、独身和禁欲、修道和礼拜来代替这一切吗？基督教的社会主义，只不过是僧侣用来使贵族的怨愤神圣化的圣水罢了。

（乙）小资产阶级的社会主义

封建贵族并不是被资产阶级所推翻的、其生活条件在现代资产阶级社会里日益恶化和消失的唯一阶级。中世纪的城关市民和小农等级是现代资产阶级的前身。在工商业不很发达的国家里，这个阶级还在新兴的资产阶级身旁勉强生存着。

在现代文明已经发展的国家里，形成了一个新的小资产阶级，它摇摆于无产阶级和资产阶级之间，并且作为资产阶级社会的补充部分不断地重新组成。但是，这一阶级的成员经常被竞争抛到无产阶级队伍里去，而且，随着大工业的发展，他们甚至觉察到，他们很快就会完全失去他们作为现代社会中一个独立部分的地位，在商业、工场手工业和农业中很快就会被监工和雇员所代替。

在农民阶级远远超过人口半数的国家，例如在法国，那些站在无产阶级方面反对资产阶级的著作家，自然是用小资产阶级和小农的尺度去批判资产阶级制度的，是从小资产阶级的立场出发替工人说话的。这样就形成了小资产阶级的社会主义。西斯蒙第不仅对法国而且对英国来说都是这类著作家的首领。

这种社会主义非常透彻地分析了现代生产关系中的矛盾。它揭穿了经济学家的虚伪的粉饰。它确凿地证明了机器和分工的破坏作用、资本和地产的积聚、生产过剩、危机、小资产者和小农的必然没落、无产阶级的贫困、生产的无政府状态、财富分配的极不平均、各民族之间的毁灭性的工业战争，以及旧风尚、旧家庭关系和旧民族性的解体。

但是，这种社会主义按其实际内容来说，或者是企图恢复旧的生产资料和交换手段，从而恢复旧的所有制关系和旧的社会，或者是企图重新把现代的生产资料和交换手段硬塞到已被它们突破而且必然被突破的旧的所有制关系的框子里去。它在这两种场合都是反动的，同时又是空想的。

工场手工业中的行会制度，农业中的宗法经济。这就是它的结论。

这一思潮在它以后的发展中变成了一种怯懦的悲叹。①

（丙）德国的或"真正的"社会主义

法国的社会主义和共产主义的文献是在居于统治地位的资产阶级的压迫下产生的，并且是同这种统治作斗争的文字表现，这种文献被搬到德国的时候，那里的资产阶级才刚刚开始进行反对封建专制制度的斗争。

---

① 在1888年英文版中这一句是："最后，当顽强的历史事实把自我欺骗的一切醉梦驱散的时候，这种形式的社会主义就化为一种可怜的哀愁。"——编者注

德国的哲学家、半哲学家和美文学家，贪婪地抓住了这种文献，不过他们忘记了：在这种著作从法国搬到德国的时候，法国的生活条件却没有同时搬过去。在德国的条件下，法国的文献完全失去了直接实践的意义，而只具有纯粹文献的形式。它必然表现为关于真正的社会、关于实现人的本质的无谓思辨。这样，第一次法国革命的要求，在18世纪的德国哲学家看来，不过是一般"实践理性"的要求，而革命的法国资产阶级的意志的表现，在他们心目中就是纯粹的意志、本来的意志、真正人的意志的规律。

德国著作家的唯一工作，就是把新的法国的思想同他们的旧的哲学信仰调和起来，或者毋宁说，就是从他们的哲学观点出发去掌握法国的思想。

这种掌握，就像掌握外国语一样，是通过翻译的。

大家知道，僧侣们曾经在古代异教经典的手抄本上面写上荒诞的天主教圣徒传。德国著作家对世俗的法国文献采取相反的做法。他们在法国的原著下面写上自己的哲学胡说。例如，他们在法国人对货币关系的批判下面写上"人的本质的外化"，在法国人对资产阶级国家的批判下面写上所谓"抽象普遍物的统治的扬弃"，等等。

这种在法国人的论述下面塞进自己哲学词句的做法，他们称之为"行动的哲学"、"真正的社会主义"、"德国的社会主义科学"、"社会主义的哲学论证"，等等。

法国的社会主义和共产主义的文献就这样被完全阉割了。既然这种文献在德国人手里已不再表现一个阶级反对另一个阶级的斗争，于是德国人就认为：他们克服了"法国人的片面性"，他们不代表真实的要求,而代表真理的要求,不代表无产者的利益,而代表人的本质的利益,即一般人的利益,这种人不属于任何阶级,根本不存在于现实界,而只存在于云雾弥漫的哲学幻想的太空。

这种曾经郑重其事地看待自己那一套拙劣的小学生作业并且大言不惭地加以吹嘘的德国社会主义,现在渐渐失去了它的自炫博学的天真。

德国的特别是普鲁士的资产阶级反对封建主和专制王朝的斗争,一句话,自由主义运动,越来越严重了。

于是,"真正的"社会主义就得到了一个好机会,把社会主义的要求同政治运动对立起来,用诅咒异端邪说的传统办法诅咒自由主义,诅咒代议制国家,诅咒资产阶级的竞争、资产阶级的新闻出版自由、资产阶级的法、资产阶级的自由和平等,并且向人民群众大肆宣扬,说什么在这个资产阶级运动中,人民群众非但一无所得,反而会失去一切。德国的社会主义恰好忘记了,法国的批判(德国的社会主义是这种批判的可怜的回声)是以现代的资产阶级社会以及相应的物质生活条件和相当的政治制度为前提的,而这一切前提当时在德国正是尚待争取的。

这种社会主义成了德意志各邦专制政府及其随从——僧侣、教员、容克和官僚求之不得的、吓唬来势汹汹的资产阶级的稻草人。

这种社会主义是这些政府用来镇压德国工人起义的毒辣的皮鞭和枪弹的甜蜜的补充。

既然"真正的"社会主义就这样成了这些政府对付德国资产阶级的武器,那么它也就直接代表了一种反动的利益,即德国小市民的利益。在德国，16 世纪遗留下来的、从那时起经常以不同形式重新出现的小资产阶级，是现存制度的真实的社会基础。

保存这个小资产阶级，就是保存德国的现存制度。这个阶级胆战心惊地从资产阶级的工业统治和政治统治那里等候着无可幸免的灭亡，这一方面是由于资本的积聚，另一方面是由于革命无产阶级的兴起。在它看来，"真正的"社会主义能起一箭双雕的作用。"真正的"社会主义像瘟疫一样流行起来了。

德国的社会主义者给自己的那几条干瘪的"永恒真理"披上一件用思辨的蛛丝织成的、绣满华丽辞藻的花朵和浸透甜情蜜意的甘露的外衣，这件光彩夺目的外衣只是使他们的货物在这些顾客中间增加销路罢了。

同时，德国的社会主义也越来越认识到自己的使命就是充当这种小市民的夸夸其谈的代言人。

它宣布德意志民族是模范的民族，德国小市民是模范的人。它给这些小市民的每一种丑行都加上奥秘的、高尚的、社会主义的意义，使之变成完全相反的东西。它发展到最后，就直接反对共产主义的"野蛮破坏的"倾向，并且宣布自己是不偏不倚地超乎任何阶级斗争之上的。现今在德国流行的一切所谓社会主义和共产主义的著作，除了极少数的例外，都属于这一类卑鄙龌龊的、令人委靡的文献。①

---

① 恩格斯在 1890 年德文版上加了一个注："1848 年的革命风暴已经把这个可恶的流派一扫而光，并且使这一流派的代表人物再也没有兴趣搞社会主义了。这一流派的主要代表和典型人物是卡尔·格律恩先生。"——编者注

2. 保守的或资产阶级的社会主义

资产阶级中的一部分人想要消除社会的弊病，以便保障资产阶级社会的生存。

这一部分人包括：经济学家、博爱主义者、人道主义者、劳动阶级状况改善派、慈善事业组织者、动物保护协会会员、戒酒协会发起人以及形形色色的小改良家。这种资产阶级的社会主义甚至被制成一些完整的体系。

我们可以举蒲鲁东的《贫困的哲学》①作为例子。

社会主义的资产者愿意要现代社会的生存条件，但是不要由这些条件必然产生的斗争和危险。他们愿意要现存的社会，但是不要那些使这个社会革命化和瓦解的因素。他们愿意要资产阶级，但是不要无产阶级。在资产阶级看来，它所统治的世界自然是最美好的世界。资产阶级的社会主义把这种安慰人心的观念制成半套或整套的体系。它要求无产阶级实现它的体系，走进新的耶路撒冷，其实它不过是要求无产阶级停留在现今的社会里，但是要抛弃他们关于这个社会的可恶的观念。

这种社会主义的另一种不够系统、但是比较实际的形式，力图使工人阶级厌弃一切革命运动，硬说能给工人阶级带来好处的并不是这样或那样的政治改革，而仅仅是物质生活条件即经济关系

---

① 皮·约·蒲鲁东《经济矛盾的体系，或贫困的哲学》1846 年巴黎版第1—2 卷。——编者注

的改变。但是,这种社会主义所理解的物质生活条件的改变,绝对不是只有通过革命的途径才能实现的资产阶级生产关系的废除,而是一些在这种生产关系的基础上实行的行政上的改良,因而丝毫不会改变资本和雇佣劳动的关系,至多只能减少资产阶级的统治费用和简化它的财政管理。

资产阶级的社会主义只有在它变成纯粹的演说辞令的时候,才获得自己的适当的表现。

自由贸易!为了工人阶级的利益;保护关税!为了工人阶级的利益;单人牢房!为了工人阶级的利益。这才是资产阶级的社会主义唯一真实的结论。

资产阶级的社会主义就是这样一个论断:资产者之为资产者,是为了工人阶级的利益。

3. 批判的空想的社会主义和共产主义

在这里,我们不谈在现代一切大革命中表达过无产阶级要求的文献(巴贝夫等人的著作)。

无产阶级在普遍激动的时代、在推翻封建社会的时期直接实现自己阶级利益的最初尝试,都不可避免地遭到了失败,这是由于当时无产阶级本身还不够发展,由于无产阶级解放的物质条件还没有具备,这些条件只是资产阶级时代的产物。随着这些早期的无产阶级运动而出现的革命文献,就其内容来说必然是反动的。这种文献倡导普遍的禁欲主义和粗陋的平均主义。

本来意义的社会主义和共产主义的体系,圣西门、傅立叶、欧文等人的体系,是在无产阶级和资产阶级之间的斗争还不发展的最初时期出现的。关于这个时期,我们在前面已经叙述过了(见《资产阶级和无产阶级》①)。

诚然,这些体系的发明家看到了阶级的对立,以及占统治地位的社会本身中的瓦解因素的作用。但是,他们看不到无产阶级方面的任何历史主动性,看不到它所特有的任何政治运动。

由于阶级对立的发展是同工业的发展步调一致的,所以这些发明家也不可能看到无产阶级解放的物质条件,于是他们就去探求某种社会科学、社会规律,以便创造这些条件。

社会的活动要由他们个人的发明活动来代替,解放的历史条件要由幻想的条件来代替,无产阶级的逐步组织成为阶级要由一种特意设计出来的社会组织来代替。在他们看来,今后的世界历史不过是宣传和实施他们的社会计划。

诚然,他们也意识到,他们的计划主要是代表工人阶级这一受苦最深的阶级的利益。在他们的心目中,无产阶级只是一个受苦最深的阶级。

但是,由于阶级斗争不发展,由于他们本身的生活状况,他们就以为自己是高高超乎这种阶级对立之上的。他们要改善社会一切成员的生活状况,甚至生活最优裕的成员也包括在内。因此,他们总是不加区别地向整个社会呼吁,而且主要是向统治阶级呼吁。他们以为,人们只要理解他们的体系,就会承认这种体系是最美好的社会的最美好的计划。

因此,他们拒绝一切政治行动,特别是一切革命行动;他们

---

① 指《共产党宣言》第 1 章《资产者和无产者》。——编者注

想通过和平的途径达到自己的目的,并且企图通过一些小型的、当然不会成功的试验,通过示范的力量来为新的社会福音开辟道路。

这种对未来社会的幻想的描绘,在无产阶级还很不发展,因而对本身的地位的认识还基于幻想的时候,是同无产阶级对社会普遍改造的最初的本能的渴望相适应的。①

但是,这些社会主义和共产主义的著作也含有批判的成分。这些著作抨击现存社会的全部基础。因此,它们提供了启发工人觉悟的极为宝贵的材料。它们关于未来社会的积极的主张,例如消灭城乡对立②、消灭家庭、消灭私人营利、消灭雇佣劳动、提倡社会和谐、把国家变成纯粹的生产管理机构——所有这些主张都只是表明要消灭阶级对立,而这种阶级对立在当时刚刚开始发展,它们所知道的只是这种对立的早期的、不明显的、不确定的形式。因此,这些主张本身还带有纯粹空想的性质。

批判的空想的社会主义和共产主义的意义,是同历史的发展成反比的。阶级斗争越发展和越具有确定的形式,这种超乎阶级斗争的幻想,这种反对阶级斗争的幻想,就越失去任何实践意义和任何理论根据。所以,虽然这些体系的创始人在许多方面是革命的,但是他们的信徒总是组成一些反动的宗派。这些信徒无视无产阶级的历史进展,还是死守着老师们的旧观点。因此,他们一贯

---

① 这段话在 1872、1883 和 1890 年德文版中是:"这种对未来社会的幻想的描绘,是在无产阶级还很不发展,因而对本身的地位的认识还基于幻想的时候,从无产阶级对社会普遍改造的最初的本能的渴望中产生的。"——编者注

② "城乡对立"在 1888 年英文版中是"城乡差别"。——编者注

企图削弱阶级斗争,调和对立。他们还总是梦想用试验的办法来实现自己的社会空想,创办单个的法伦斯泰尔,建立国内移民区,创立小伊加利亚,①即袖珍版的新耶路撒冷。而为了建造这一切空中楼阁,他们就不得不呼吁资产阶级发善心和慷慨解囊。他们逐渐地堕落到上述反动的或保守的社会主义者的一伙中去了,所不同的只是他们更加系统地卖弄学问,狂热地迷信自己那一套社会科学的奇功异效。

因此,他们激烈地反对工人的一切政治运动,认为这种运动只是由于盲目地不相信新福音才发生的。

在英国,有欧文派[24]反对宪章派[45],在法国,有傅立叶派[25]反对改革派[46]。

---

①　恩格斯在1888年英文版上加了一个注:"法伦斯泰尔是沙尔·傅立叶所设计的社会主义移民区;伊加利亚是卡贝给自己的理想国和后来他在美洲创立的共产主义移民区所起的名称。"

恩格斯在1890年德文版上加了一个注:"国内移民区是欧文给他的共产主义的模范社会所起的名称。法伦斯泰尔是傅立叶所设计的社会官的名称。伊加利亚是卡贝所描绘的那种共产主义制度的乌托邦幻想国。"——编者注

四　共产党人对各种
反对党派的态度

看过第二章之后,就可以了解共产党人同已经形成的工人政党的关系,因而也就可以了解他们同英国宪章派和北美土地改革派[47]的关系。

共产党人为工人阶级的最近的目的和利益而斗争,但是他们在当前的运动中同时代表运动的未来。在法国,共产党人同社会主义民主党①联合起来反对保守的和激进的资产阶级,但是并不因此放弃对那些从革命的传统中承袭下来的空谈和幻想采取批判态度的权利。

在瑞士,共产党人支持激进派,但是并不忽略这个政党是由互相矛盾的分子组成的,其中一部分是法国式的民主社会主义者,一

---

① 恩格斯在 1888 年英文版上加了一个注:"当时这个党在议会中的代表是赖德律-洛兰,在著作界的代表是路易·勃朗,在报纸方面的代表是《改革报》[46]。'社会主义民主党'这个名称在它的发明者那里是指民主党或共和党中或多或少带有社会主义色彩的一部分人。"

　　恩格斯在 1890 年德文版上加了一个注:"当时在法国以社会主义民主党自称的政党,在政治方面的代表是赖德律-洛兰,在著作界的代表是路易·勃朗;因此,它同现今的德国社会民主党是有天壤之别的。"——编者注

社會主義研究小叢書第一種
共黨產宣言
馬格斯安格爾斯合著
陳望道譯

馬格斯

1920年8月出版的《共产党宣言》中译本，
书名错印为《共党产宣言》

部分是激进的资产者。

在波兰人中间,共产党人支持那个把土地革命当做民族解放的条件的政党,即发动过1846年克拉科夫起义**48**的政党。

在德国,只要资产阶级采取革命的行动,共产党就同它一起去反对专制君主制、封建土地所有制和小资产阶级。

但是,共产党一分钟也不忽略教育工人尽可能明确地意识到资产阶级和无产阶级的敌对的对立,以便德国工人能够立刻利用资产阶级统治所必然带来的社会的和政治的条件作为反对资产阶级的武器,以便在推翻德国的反动阶级之后立即开始反对资产阶级本身的斗争。

共产党人把自己的主要注意力集中在德国,因为德国正处在资产阶级革命的前夜,因为同17世纪的英国和18世纪的法国相比,德国将在整个欧洲文明更进步的条件下,拥有发展得多的无产阶级去实现这个变革,因而德国的资产阶级革命只能是无产阶级革命的直接序幕。

总之,共产党人到处都支持一切反对现存的社会制度和政治制度的革命运动。

在所有这些运动中,他们都强调所有制问题是运动的基本问题,不管这个问题的发展程度怎样。

最后,共产党人到处都努力争取全世界民主政党之间的团结和协调。

共产党人不屑于隐瞒自己的观点和意图。他们公开宣布:他们的目的只有用暴力推翻全部现存的社会制度才能达到。让统治阶级在共产主义革命面前发抖吧。无产者在这个革命中失去的只是锁链。他们获得的将是整个世界。

全世界无产者,联合起来!

卡·马克思和弗·恩格斯写于
1847 年 12 月—1848 年 1 月底

1848 年 2 月以小册子形式在伦
敦出版

原文是德文

选自《马克思恩格斯选集》第 3 版第
1 卷第 399—435 页

附　　录

弗·恩格斯

共产主义信条草案[49]

第一个问题:你是共产主义者吗?

答:是的。

第二个问题:共产主义者的目标是什么?

答:建立这样的社会:使社会的每一个成员都能完全自由地发展和发挥他的全部才能和力量,并且不会因此而损害这个社会的基本条件。

第三个问题:你们打算怎样实现这一目标?

答:消灭私有制,代之以财产公有。

第四个问题:你们将财产公有建立在什么基础上?

答:第一,建立在通过发展工业、农业、商业和垦殖而产生的大量的生产力和生活资料的基础上,建立在因使用机器、化学辅助手段和其他辅助手段而使生产力和生活资料无限增长的可能性的基础上。

第二,建立在这样的基础上:在每一个人的意识或情感中都存在着某些原理,这些原理是颠扑不破的准则,是整个历史发展的结果,是无须加以论证的。

第五个问题:这是一些什么原理呢?

答:例如,每个人都追求幸福。个人的幸福和大家的幸福是不可分割的,等等。

第六个问题:你们打算用什么方法为实现你们的财产公有作准备?

答:通过对无产阶级进行宣传教育并使他们联合起来。

第七个问题:什么是无产阶级?

答:无产阶级是完全靠自己的劳动[39]而不是靠任何一种资本的利润为生的社会阶级;因而这一阶级的祸福和存亡取决于工商业繁荣期和萧条期的更替,**一句话**,取决于竞争的波动。

第八个问题:是不是说,无产者不是一向就有的?

答:是的,不是一向就有的。**穷人**和**劳动阶级**一向就有;并且劳动者几乎一向都是穷人。但无产者却不是一向就有的,正如竞争并不一向是自由的一样。

第九个问题:无产阶级是怎样产生的?

答:无产阶级是由于采用机器而产生的,这些机器发明于上个世纪中期,其中最重要的是蒸汽机、纺纱机和机械织布机。这些价钱很贵、因而只有富人才买得起的机器,挤掉了当时的工人,因为用机器生产商品比原来的工人用不完善的纺车和织布机生产商品又便宜又快。这样一来,机器就使工业全部落到大资本家手里,并且使工人仅有的一点薄产,主要是他们的工具、织布机等,变得一钱不值,于是资本家就占有了一切,而工人却一无所有。从此就实行了工厂制度。当资本家看出这样做对他们是何等有利时,他们就力图把工厂制度扩展到越来越多的劳动部门。他们使工人之间的分工越来越细,于是,从前完成整件工作的每个工人,现在只做这件工作的一部分。这种简化的劳动使产品生产得更快,因而也更便宜。这时人们才发现:几乎在每一个劳动部门都可以使用机器。

一个劳动部门一旦照工厂方式来经营,它就像纺纱业和织布业一样落到了大资本家的手里,工人也就失掉了最后的一点独立性。

我们渐渐可以看到,几乎**所有的**劳动部门都照工厂方式进行经营了。于是,从前的中间等级,特别是小手工业师傅日益破产,工人原来的状况发生了根本的变化,产生了两个逐渐并吞所有其他阶级的新阶级。这两个阶级就是:

一、大资本家阶级,他们在所有先进国家里几乎独占了生活资料和生产这些生活资料的手段(机器、工厂、工场等)。这就是**资产者**阶级或**资产阶级**。

二、完全没有财产的阶级,他们仅仅为了换得生活资料,不得不把自己的劳动出卖给第一个阶级,即资产者。由于在这种劳动交易中买卖双方并不是**平等的**,而是资产者处于有利地位,所以无财产者不得不接受资产者提出的苛刻条件。这个依赖于资产者的阶级叫做**无产者**阶级或**无产阶级**。

第十个问题:无产者和奴隶有什么区别?

答:奴隶**一次**就被完全卖掉了。无产者必须一天一天、一小时一小时地出卖自己。奴隶是**某一个**主人的财产,而且正是由于这个原因,他的生活不管怎样坏,总还是有保障的。而无产者可以说是整个资产者**阶级**的奴隶,不是**某一个**主人的奴隶,如果没有人需要他的劳动,就没有人购买它,因而他的生活是没有保障的。奴隶被看做**物**,不被看做市民社会的成员。无产者被承认是**人**,是市民社会的成员。因此奴隶**能够**比无产者生活得好**些**,但无产者处于更高的发展阶段。奴隶通过**成为无产者**,并在所有的私有制关系中**只要**废除**奴隶制**关系就能解放自己。无产者只有废除**一切私有制**才能解放自己。

第十一个问题:无产者和农奴有什么区别?

答:农奴使用一块土地,也就是使用一种生产工具,为此,他要交出或多或少的一部分收益。无产者用属于他人的生产工具做工,这个他人把由竞争所决定的一份产品让给无产者,作为对他的劳动的报酬。对农奴来说,他作为劳动者得到的那一份是由他自己的劳动决定的,因而也是由他自己决定的。对无产者来说,他作为劳动者得到的那一份是由竞争决定的,因而首先是由资产者决定的。农奴生活有保障,无产者生活无保障。农奴获得解放的道路是:把他们的封建主赶走,自己变成财产所有者,从而进入竞争领域并暂时加入有产阶级的队伍,即特权阶级的队伍。无产者则通过消灭私有制、竞争和一切阶级差别而获得解放。

第十二个问题:无产者和手工业者有什么区别?

答:不同于无产者的所谓手工业者,上个世纪几乎到处都有,而今天还散见各处,他们顶多是**暂时的**无产者。他们的目的是为自己获得资本,并用它来剥削其他劳动者。当行会仍然存在,或者当经营自由还没有导致手工业按工厂方式来经营、还没有导致激烈的竞争时,他们往往还可以达到这个目的。但是,一旦手工业采用了工厂制度,竞争也非常盛行时,这种前景就消失了,手工业者就日益成为无产者。因此,手工业者获得解放的道路是:**要么**成为资产者或一般说来变为中间等级,**要么**由于竞争而成为无产者(正如现在所经常发生的),并参加无产阶级的运动,也就是参加或多或少自觉的共产主义运动。

第十三个问题:这么说,你们并不认为任何时候都可能实现财产公有?

答:是的,我们并不这样认为。只有在机器和其他发明有可能向全体社会成员展示出获得全面教育和幸福生活的前景时,共产主义才出现。共产主义是关于奴隶、农奴或手工业者不可能实现而只有无产者才可能实现的那种解放的学说,因此它必然属于19世纪,而以往任何时候都是不可能有的。

第十四个问题:让我们回到第六个问题吧。如果你们打算通过对无产阶级进行宣传教育并使他们联合起来的途径为实现财产公有作准备,那么,你们会不会因此而拒绝革命呢?

答:我们确信,任何密谋都不但无益,甚至有害。我们也知道,革命不能故意地、随心所欲地制造,革命在任何地方和任何时候都是完全不以单个政党和整个阶级的意志和领导为转移的各种情况的必然结果。但我们也看到,世界上几乎所有国家的无产阶级的发展都受到有产阶级的暴力压制,因而是共产主义者的敌人用暴力引起革命。如果被压迫的无产阶级因此最终被推向革命,那么,我们将用行动来捍卫无产阶级的事业,正像现在用语言来捍卫它一样。

第十五个问题:你们是否打算一下子就用财产公有来代替今天的社会制度?

答:我们不想这样做。群众的发展是不能命令的。这种发展受到群众生活条件的发展的制约,因而是逐步前进的。

第十六个问题:你们认为用什么方法才能实现从目前状况到财产公有的过渡?

答:实行财产公有的第一个基本条件是通过民主的国家制度达到无产阶级的政治解放。

第十七个问题:一旦你们实现了民主制,你们采取的第一个措施将是什么?

答:保障无产阶级的生存。

第十八个问题：你们打算怎样实现这一点？

答：一、限制私有制，以便为私有制逐渐转变为社会所有制作准备，例如实行累进税、对继承权实行有利于国家的限制，等等。

二、让工人在国家作坊和国家工厂以及国家农场就业。

三、使所有的儿童享受公费教育。

第十九个问题：你们在过渡时期怎样实施这种教育？

答：所有的儿童，从能够离开母亲照顾的时候起，都在国家设施中受教育和学习。

第二十个问题：在实行财产公有时不会同时宣布公妻制吗？

答：绝不会。只有在新的社会制度因保留现存的形式而可能遭到损害时，我们才会干预夫妻之间的私人关系乃至家庭。此外，我们很清楚，在历史的进程中，家庭关系随着所有制关系和发展时期而经历过各种变动，因此，消灭私有制也必将对家庭关系产生极大影响。

第二十一个问题：民族在共产主义制度下还将继续存在吗？

答：按照财产公有原则结合起来的各个民族的民族特点，由于这种联合而必然相互交融，从而自行消失，正如各种不同的等级差别和阶级差别由于消灭了它们的基础即私有制而必将消失一样。

第二十二个问题：共产主义者排斥现有的各种宗教吗？

答：迄今一切宗教都是单个民族或多个民族的历史发展阶段的表现。而共产主义却是使一切现有宗教成为多余并使之消灭的发展阶段。①

———————

① 恩格斯手书的原文到此为止。——编者注

以代表大会的名义并受代表大会委托：

秘书　　　主席

海　德① 卡尔·席尔②

1847 年 6 月 9 日于伦敦

弗·恩格斯写于 1847 年 6 月 9 日
以前

第一次发表于《共产主义者同盟
建盟文献（1847 年 6 月至 9 月）》
1969 年汉堡版

原文是德文

选自《马克思恩格斯全集》中文第 1
版第 42 卷第 373—380 页，根据柏
林狄茨出版社《共产主义者同盟文
件和资料汇编》1983 年版第 1 卷
校订

---

① 威·沃尔弗的盟内化名。——编者注
② 卡·沙佩尔的盟内化名。——编者注

弗·恩格斯

共产主义原理⁵⁰

第一个问题：什么是共产主义？

答：共产主义是关于无产阶级解放的条件的学说。

第二个问题：什么是无产阶级？

答：无产阶级是完全靠出卖自己的劳动³⁹而不是靠某一种资本的利润来获得生活资料的社会阶级。这一阶级的祸福、存亡和整个生存，都取决于对劳动的需求，即取决于工商业繁荣期和萧条期的更替，取决于没有节制的竞争的波动。一句话，无产阶级或无产者阶级是19世纪的劳动阶级。

第三个问题：是不是说，无产者不是一向就有的？

答：是的，不是一向就有的。穷人和劳动阶级一向就有；并且劳动阶级通常都是贫穷的。但是，生活在上述条件下的这种穷人、这种工人，即无产者，并不是一向就有的，正如竞争并不一向是自由的和没有节制的一样。

第四个问题：无产阶级是怎样产生的？

答：无产阶级是由于工业革命而产生的，这一革命在上个世纪下半叶发生于英国，后来，相继发生于世界各文明国家。工业革命是由蒸汽机、各种纺纱机、机械织布机和一系列其他机械装备的发明而引起的。这些价钱很贵,因而只有大资本家才买得起的机器,改变了以前的整个生产方式,挤掉了原来的工人。这是因为机器生产的商品要比工人用不完善的纺车和织布机生产的又便宜又好。这样一来,这些机器就使工业全部落到大资本家手里,并且使工人仅有的一点薄产(工具、织布机等)变得一钱不值,于是资本家很快就占有了一切,而工人却一无所有了。从此,在衣料生产方面就实行了工厂制度。机器和工厂制度一经采用,这一制度很快就推行到所有其他工业部门,特别是印花业、印书业、制陶业和金属品制造业等部门。工人之间的分工越来越细,于是,从前完成整件工作的工人,现在只做这件工作的一部分。这种分工可以使产品生产得更快,因而也更便宜。分工把每个工人的活动变成一种非常简单的、时刻都在重复的机械操作,这种操作利用机器不但能够做得同样出色,甚至还要好得多。因此,所有这些工业部门都像纺纱和织布业一样,一个跟着一个全都受到了蒸汽动力、机器和工厂制度的支配。这样一来,这些工业部门同时也就全都落到了大资本家的手里,工人也就失掉了最后的一点独立性。除了原来意义上的工场手工业,手工业也渐渐受到工厂制度的支配,因为这里的大资本家也在通过建立可以大量节省开支和实行细致分工的大作坊,不断挤掉小师傅。结果,我们现在可以看到,在文明国家里,几乎所有劳动部门都照工厂方式进行经营了,在所有劳动部门,手工业和工场手工业几乎都被工业挤掉了。于是,从前的中间等级,特别是小手工业师傅日益破产,工人原来的状况发生了根本的变化,产生了两个逐渐并吞所有其他阶级的新阶级。这两个阶级就是:

一、大资本家阶级,他们在所有文明国家里现在已经几乎独占了一切生活资料和生产这些生活资料所必需的原料和工具(机器、工厂)。这就是资产者阶级或资产阶级。

二、完全没有财产的阶级,他们为了换得维持生存所必需的生活资料,不得不把自己的劳动出卖给资产者。这个阶级叫做无产者阶级或无产阶级。

第五个问题:无产者是在怎样的条件下把劳动出卖给资产者的?

答:劳动和其他任何商品一样,也是一种商品,因此,劳动的价格和其他任何商品的价格一样,也是由同样的规律决定的。正像我们在下面将看到的,在大工业或自由竞争的统治下,情形都一样,商品的价格平均总是和这种商品的生产费用相等的。因此,劳动的价格也是和劳动的生产费用相等的。而劳动的生产费用正好是使工人能够维持他们的劳动能力并使工人阶级不致灭绝所必需的生活资料的数量。工人的劳动所得不会比为了这一目的所必需的更多。因此,劳动的价格或工资将是维持生存所必需的最低额。但是,因为工商业有时萧条有时兴旺,工人所得也就有多有少,正像厂主出卖商品所得有多有少一样。如果把工商业繁荣期和萧条期平均起来,厂主出卖商品所得既不多于他的生产费用,也不少于他的生产费用,同样,工人平均所得也是既不会多于这个最低额,也不会少于这个最低额。大工业越是在所有劳动部门占统治地位,工资的这一经济规律体现得就越充分。

第六个问题:在工业革命前,有过什么样的劳动阶级?

答:在不同的社会发展阶段上,劳动阶级的生活条件各不相同,劳动阶级在同有产阶级和统治阶级的关系中所处的地位也各不相同。在古代,劳动者是主人的**奴隶**。直到今天在许多落后国家甚至美国南部他们还是这种奴隶。在中世纪,劳动者是土地贵族的**农奴**,直到今天在匈牙利、波兰和俄国他们还是这种农奴。此外,在中世纪,直到工业革命前,城市里还有在小资产阶级师傅那里做工的手工业帮工,随着工场手工业的发展,也渐渐出现了受较大的资本家雇用的工场手工业工人。

第七个问题:无产者和奴隶有什么区别?

答:奴隶一次就被完全卖掉了。无产者必须一天一天、一小时一小时地出卖自己。单个的奴隶是**某一个**主人的财产,由于他与主人利害攸关,他的生活不管怎样坏,总还是有保障的。单个的无产者可以说是整个资产者**阶级**的财产,他的劳动只有在有人需要的时候才能卖掉,因而他的生活是没有保障的。只有对整个无产者**阶级**来说,这种生活才是有保障的。奴隶处在竞争之外,无产者处在竞争之中,并且亲身感受到竞争的一切波动。奴隶被看做物,不被看做市民社会的成员。无产者被承认是人,是市民社会的成员。因此奴隶能够比无产者生活得好些,但无产者属于更高的社会发展阶段,他们本身处于比奴隶更高的阶段。奴隶在所有的私有制关系中只要废除奴隶制关系,并由此而成为无产者,就能解放自己;无产者只有废除一切私有制才能解放自己。

第八个问题:无产者和农奴有什么区别?

答:农奴占有并使用一种生产工具,一块土地,为此他要交出自己的一部分收益或者服一定的劳役。无产者用别人的生产工具为这个别人做工,从而得到一部分收益。农奴是交出东西,无产者是得到报酬。农奴生活有保障,无产者生活无保障。农奴处在竞争之外,无产者处在竞争之中。农奴可以通过各种道路获得解放:或者是逃到城市里去做手工业者;或者是交钱给地主代替劳役和产品,从而成为自由的佃农;或者是把他们的封建主赶走,自己变成财产所有者。总之,农奴可以通过不同的办法加入有产阶级的队伍并进入竞争领域而获得解放。无产者只有通过消灭竞争、私有制和一切阶级差别才能获得解放。

第九个问题:无产者和手工业者有什么区别?[51]

第十个问题:无产者和工场手工业工人有什么区别?

答:16—18 世纪,几乎任何地方的工场手工业工人都占有生产工具,如织布机、家庭用的纺车和一小块在工余时间耕种的土地。这一切,无产者都没有。工场手工业工人几乎总是生活在农村,和地主或雇主维持着或多或少的宗法关系。无产者通常生活在大城市,和雇主只有金钱关系。大工业使工场手工业工人脱离了宗法关系,他们失去了仅有的一点财产,因此而变成无产者。

第十一个问题:工业革命和社会划分为资产者与无产者首先产生了什么结果?

答:第一,由于在世界各国机器劳动不断降低工业品的价格,旧的工场手工业制度或以手工劳动为基础的工业制度完全被摧毁。所有那些迄今或多或少置身于历史发展之外、工业迄今建立在工场手工业基础上的半野蛮国家,随之也就被迫脱离了它们的闭关自守状态。这些国家购买比较便宜的英国商品,把本国的工场手工业工人置于死地。因此,那些几千年来没有进步的国家,例如印度,都已经进行了完全的革命,甚至中国现在也正走向革命。事情已经发展到这样的地步:今天英国发明的新机器,一年之内就会夺去中国千百万工人的饭碗。这样,大工业便把世界各国人民互相联系起来,把所有地方性的小市场联合成为一个世界市场,到处为文明和进步做好了准备,使各文明国家里发生的一切必然影响到其余各国。因此,如果现在英国或法国的工人获得解放,这必然会引起其他一切国家的革命,这种革命迟早会使这些国家的工人也获得解放。

第二,凡是大工业代替了工场手工业的地方,工业革命都使资产阶级及其财富和势力最大限度地发展起来,使它成为国内的第一阶级。结果,凡是完成了这种过程的地方,资产阶级都取得了政治权力,并挤掉了以前的统治阶级——贵族、行会师傅和代表他们的专制王朝。资产阶级废除了长子继承权或出卖领地的禁令,取消了贵族的一切特权,这样便消灭了特权贵族、土地贵族的势力。资产阶级取消了所有行会,废除了手工业者的一切特权,这样便摧毁了行会师傅的势力。资产阶级用自由竞争来取代行会和手工业者的特权;在自由竞争这种社会状况下,每一个人都有权经营任何一个工业部门,而且,除非缺乏必要的资本,什么也不能妨碍他的经营。这样,实行自由竞争就是公开宣布:从今以后,只是由于社会各成员的资本多寡不等,所以他们之间才不平等,资本成为决定性的力量,从而资本家,资产者成为社会上的第一阶级。但是,自由竞争在大工业发展初期之所以必要,是因为只有在这种社会状况下大工业才能成长起来。资产阶级这样消灭了贵族和行会师傅的社会势力以后,也就消灭了他们的政治权力。资产阶级在社会上上升为第一阶级以后,它也就在政治上宣布自己是第一阶级。它是通过实行代议制而做到这一点的。代议制是以资产阶级的在法律面前平等和法律承认自由竞争为基础的。这种制度在欧洲各国采取立宪君主制的形式。在这种立宪君主制的国家里,只有拥有一定资本的人即资产者,才有选举权。这些资产者选民选出议员,而这些资产者议员可以运用拒绝纳税的权利,选出资产者政府。

第三,工业革命到处都使无产阶级和资产阶级以同样的速度发展起来。资产者越发财,无产者的人数也就越多。因为只有资本才能使无产者找到工作,而资本只有在使用劳动的时候才能增加,所以无产阶级的增加和资本的增加是完全同步的。同时,工业革命使资产者和无产者都集中在最有利于发展工业的大城市里,广大群众聚集在一个地方,使无产者意识到自己的力量。其次,随着工业革命的发展,随着挤掉手工劳动的新机器的不断发明,大工业把工资压得越来越低,把它压到上面说过的最低额,因而无产阶级的处境也就越来越不堪忍受了。这样,一方面由于无产阶级不满情绪的增长,另一方面由于他们力量的壮大,工业革命便孕育着一个由无产阶级进行的社会革命。

第十二个问题:工业革命进一步产生了什么结果?

答:大工业创造了像蒸汽机和其他机器那样的手段,使工业生产在短时间内用不多的费用便能无限地增加起来。由于生产变得这样容易,这种大工业必然产生的自由竞争很快就达到十分剧烈的程度。大批资本家投身于工业,生产很快就超过了消费。结果,生产出来的商品卖不出去,所谓商业危机就到来了。工厂只好关门,厂主破产,工人挨饿。到处出现了极度贫困的现象。过了一段时间,过剩的产品卖光了,工厂重新开工,工资提高,生意也渐渐地比以往兴旺起来。但这是不会长久的,因为很快又会生产出过多的商品,新的危机又会到来,这种新危机的过程和前次危机完全相同。因此,从本世纪初以来,工业经常在繁荣时期和危机时期之间波动。这样的危机几乎定期地每五年到七年发生一次[52],每一次都给工人带来极度的贫困,激起普遍的革命热情,给整个现存制度造成极大的危险。

第十三个问题：这种定期重复的商业危机会产生什么后果？

答：**第一**，虽然大工业在它的发展初期自己造成了自由竞争，但是现在它的发展已经超越了自由竞争的范围。竞争和个人经营工业生产已经变成大工业的枷锁，大工业必须粉碎它，而且一定会粉碎它。大工业只要还在现今的基础上进行经营，就只能通过每七年出现一次的普遍混乱来维持，每次混乱对全部文明都是一种威胁，它不但把无产者抛入贫困的深渊，而且也使许多资产者破产。因此，或者必须完全放弃大工业本身（这是绝对不可能的），或者大工业使建立一个全新的社会组织成为绝对必要的，在这个全新的社会组织里，工业生产将不是由相互竞争的单个的厂主来领导，而是由整个社会按照确定的计划和所有人的需要来领导。

第二，大工业及其所引起的生产无限扩大的可能性，使人们能够建立这样一种社会制度，在这种社会制度下，一切生活必需品都将生产得很多，使每一个社会成员都能够完全自由地发展和发挥他的全部力量和才能。由此可见，在现今社会中造成一切贫困和商业危机的大工业的那种特性，在另一种社会组织中正是消灭这种贫困和这些灾难性的波动的因素。

这就完全令人信服地证明：

（1）从现在起，可以把所有这些弊病完全归咎于已经不适应当前情况的社会制度；

（2）通过建立新的社会制度来彻底铲除这些弊病的手段已经具备。

第十四个问题：这种新的社会制度应当是怎样的？

答：这种新的社会制度首先必须剥夺相互竞争的个人对工业

和一切生产部门的经营权,而代之以所有这些生产部门由整个社会来经营,就是说,为了共同的利益、按照共同的计划、在社会全体成员的参加下来经营。这样,这种新的社会制度将消灭竞争,而代之以联合。因为个人经营工业的必然结果是私有制,竞争不过是单个私有者经营工业的一种方式,所以私有制同工业的个体经营和竞争是分不开的。因此私有制也必须废除,而代之以共同使用全部生产工具和按照共同的协议来分配全部产品,即所谓财产公有。废除私有制甚至是工业发展必然引起的改造整个社会制度的最简明扼要的概括。所以共产主义者完全正确地强调废除私有制是自己的主要要求。

第十五个问题:这么说,过去废除私有制是不可能的?

答:不可能。社会制度中的任何变化,所有制关系中的每一次变革,都是产生了同旧的所有制关系不再相适应的新的生产力的必然结果。私有制本身就是这样产生的。私有制不是一向就有的;在中世纪末期,产生了一种工场手工业那样的新的生产方式,这种新的生产方式超越了当时封建和行会所有制的范围,于是这种已经超越旧的所有制关系的工场手工业便产生了新的所有制形式——私有制。对于工场手工业和大工业发展的最初阶段来说,除了私有制,不可能有其他任何所有制形式,除了以私有制为基础的社会制度,不可能有其他任何社会制度。只要生产的规模还没有达到不仅可以满足所有人的需要,而且还有剩余产品去增加社会资本和进一步发展生产力,就总会有支配社会生产力的统治阶级和贫穷的被压迫阶级。至于这些阶级是什么样子,那要看生产的发展阶段。在依赖农业的中世纪,是领主和农奴;在中世纪后期的城市里,是行会师傅、帮工和短工;在 17 世纪是工场手工业主和工场手工业工人;在 19 世纪是大工厂主和无产者。非常明显,在这以前,生产力还没有发展到能以足够的产品来满足所有人的需要,还没有发展到私有制成为这些生产力发展的桎梏和障碍。但是现在,由于大工业的发展,**第一**,产生了空前大规模的资本和生产力,并且具备了能在短时期内无限提高这些生产力的手段;**第二**,生产力集中在少数资产者手里,而广大人民群众越来越变成无产者,资产者的财富越增加,无产者的境遇就越悲惨和难以忍受;**第三**,这种强大的、容易增长的生产力,已经发展到私有制和资产者远远不能驾驭的程度,以致经常引起社会制度极其剧烈的震荡。只有这时废除私有制才不仅可能,甚至完全必要。

第十六个问题:能不能用和平的办法废除私有制?

答:但愿如此,共产主义者当然是最不反对这种办法的人。共产主义者很清楚,任何密谋都不但无益,甚至有害。他们很清楚,革命不能故意地、随心所欲地制造,革命在任何地方和任何时候都是完全不以单个政党和整个阶级的意志和领导为转移的各种情况的必然结果。但他们也看到,几乎所有文明国家的无产阶级的发展都受到暴力压制,因而是共产主义者的敌人用尽一切力量引起革命。如果被压迫的无产阶级因此最终被推向革命,那时,我们共产主义者将用行动来捍卫无产者的事业,正像现在用语言来捍卫它一样。

第十七个问题:能不能一下子就把私有制废除?

答:不,不能,正像不能**一下子**就把现有的生产力扩大到为实行财产公有所必要的程度一样。因此,很可能就要来临的无产阶级革命,只能逐步改造现今社会,只有创造了所必需的大量生产资料之后,才能废除私有制。

第十八个问题:这个革命的发展过程将是怎样的?

答:首先无产阶级革命将建立**民主的国家制度**,从而直接或间接地建立无产阶级的政治统治。在英国可以直接建立,因为那里的无产者现在已占人民的大多数。在法国和德国可以间接建立,因为这两个国家的大多数人民不仅是无产者,而且还有小农和小资产者,小农和小资产者正处在转变为无产阶级的过渡阶段,他们的一切政治利益的实现都越来越依赖无产阶级,因而他们很快就会同意无产阶级的要求。这也许还需要第二次斗争,但是,这次斗争只能以无产阶级的胜利而告终。

如果不立即利用民主作为手段实行进一步的、直接向私有制发起进攻和保障无产阶级生存的各种措施,那么,这种民主对于无产阶级就毫无用处。这些作为现存关系的必然结果现在已经产生出来的最主要的措施如下:

(1)用累进税、高额遗产税、取消旁系亲属(兄弟、侄甥等)继承权、强制公债等来限制私有制。

(2)一部分用国家工业竞争的办法,一部分直接用纸币赎买的办法,逐步剥夺土地所有者、工厂主、铁路所有者和船主的财产。

(3)没收一切反对大多数人民的流亡分子和叛乱分子的财产。

(4)在国家农场、工厂和作坊中组织劳动或者让无产者就业,这样就会消除工人之间的竞争,并迫使还存在的厂主支付同国家一样高的工资。

(5)对社会全体成员实行同样的劳动义务制,直到完全废除私有制为止。成立产业军,特别是在农业方面。

(6)通过拥有国家资本的国家银行,把信贷系统和货币经营业集中在国家手里。取消一切私人银行和银行家。

（7）随着国家拥有的资本和工人的增加,增加国家工厂、作坊、铁路和船舶,开垦一切荒地,改良已垦土地的土壤。

（8）所有的儿童,从能够离开母亲照顾的时候起,都由国家出钱在国家设施中受教育。把教育和生产结合起来。

（9）在国有土地上建筑大厦,作为公民公社的公共住宅。公民公社将从事工业生产和农业生产,将把城市和农村生活方式的优点结合起来,避免二者的片面性和缺点。

（10）拆毁一切不合卫生条件的、建筑得很坏的住宅和市区。

（11）婚生子女和非婚生子女享有同等的继承权。

（12）把全部运输业集中在国家手里。

自然,所有这一切措施不能一下子都实行起来,但是它们将一个跟着一个实行,只要向私有制一发起猛烈的进攻,无产阶级就要被迫继续向前迈进,把全部资本、全部农业、全部工业、全部运输业和全部交换都越来越多地集中在国家手里。上述一切措施都是为了这个目的。无产阶级的劳动将使国家的生产力大大增长,随着这种增长,这些措施实现的可能性和由此而来的集中化程度也将相应地增长。最后,当全部资本、全部生产和全部交换都集中在国家手里的时候,私有制将自行灭亡,金钱将变成无用之物,生产将大大增加,人将大大改变,以致连旧社会最后的各种交往形式也能够消失。

第十九个问题:这种革命能不能单独在一个国家发生?

答:不能。单是大工业建立了世界市场这一点,就把全球各国人民,尤其是各文明国家的人民,彼此紧紧地联系起来,以致每一国家的人民都受到另一国家发生的事情的影响。此外,大工业使所有文明国家的社会发展大致相同,以致在所有这些国家,资产阶级和无产阶级都成了社会上两个起决定作用的阶级,它们之间的斗争成了当前的主要斗争。因此,共产主义革命将不是仅仅一个国家的革命,而是将在一切文明国家里,至少在英国、美国、法国、德国同时发生的革命,在这些国家的每一个国家中,共产主义革命发展得较快或较慢,要看这个国家是否有较发达的工业,较多的财富和比较大量的生产力。因此,在德国实现共产主义革命最慢最困难,在英国最快最容易。共产主义革命也会大大影响世界上其他国家,会完全改变并大大加速它们原来的发展进程。它是世界性的革命,所以将有世界性的活动场所。

第二十个问题:最终废除私有制将产生什么结果?

答:由于社会将剥夺私人资本家对一切生产力和交换手段的支配权以及他们对产品的交换和分配权,由于社会将按照根据实有资源和整个社会需要而制定的计划来管理这一切,所以同现在的大工业经营方式相联系的一切有害的后果,将首先被消除。危机将终止。扩大的生产在现今的社会制度下引起生产过剩,并且是产生贫困的极重要的原因,到那个时候,这种生产就会显得十分不够,还必须大大扩大。超出社会当前需要的生产过剩不但不会引起贫困,而且将保证满足所有人的需要,将引起新的需要,同时将创造出满足这种新需要的手段。这种生产过剩将成为新的进步的条件和起因,它将实现这种进步,而不会像过去那样总是因此造成社会秩序的混乱。摆脱了私有制压迫的大工业的发展规模将十分宏伟,相形之下,目前的大工业状况将显得非常渺小,正像工场手工业和我们今天的大工业相比一样。工业的这种发展将给社会提供足够的产品以满足所有人的需要。农业在目前由于私有制的压迫和土地的小块化而难以利用现有改良成果和科学成就,而在将来也同样会进入崭新的繁荣时期,并将给社会提供足够的产品。这样一来,社会将生产出足够的产品,可以组织分配以满足全体成员的需要。因此,社会划分为各个不同的相互敌对的阶级就是多余的了。这种划分不仅是多余的,甚至是和新的社会制度互不相容的。阶级的存在是由分工引起的,而迄今为止的分工方式将完全消失。因为要把工业和农业生产提高到上面说过的水平,单靠机械和化学的辅助手段是不够的,还必须相应地发展使用这些手段的人的能力。当上个世纪的农民和工场手工业工人被卷入大工业的时候,他们改变了自己的整个生活方式而成为完全不同的人,同样,由整个社会共同经营生产和由此而引起的生产的新发展,也需要完全不同的人,并将创造出这种人来。共同经营生产不能由现在这种人来进行,因为他们每一个人都只隶属于某一个生产部门,受它束缚,听它剥削,在这里,每一个人都只能发展自己才能的**一方面**而偏废了其他各方面,只熟悉整个生产的某**一个**部门或者某一个部门的一部分。就是现在的工业也越来越不能使用这样的人了。由整个社会共同地和有计划地来经营的工业,更加需要才能得到全面发展、能够通晓整个生产系统的人。因此,现在已被机器破坏了的分工,即把一个人变成农民、把另一个人变成鞋匠、把第三个人变成工厂工人、把第四个人变成交易所投机者的分工,将完全消失。教育将使年轻人能够很快熟悉整个生产系统,将使他们能够根据社会需要或者他们自己的爱好,轮流从一个生产部门转到另一个生产部门。因此,教育将使他们摆脱现在这种分工给每个人造成的片面性。这样一来,根据共产主义原则组织起来的社会,将使自己的成员能够全面发挥他们的得到全面发展的才能。

于是各个不同的阶级也必然消灭。因此,根据共产主义原则组织起来的社会一方面不容许阶级继续存在,另一方面这个社会的建立本身为消灭阶级差别提供了手段。

由此可见,城市和乡村之间的对立也将消失。从事农业和工业的将是同一些人,而不再是两个不同的阶级,单从纯粹物质方面的原因来看,这也是共产主义联合体的必要条件。乡村农业人口的分散和大城市工业人口的集中,仅仅适应于工农业发展水平还不够高的阶段,这种状态是一切进一步发展的障碍,这一点现在人们就已经深深地感觉到了。

由社会全体成员组成的共同联合体来共同地和有计划地利用生产力;把生产发展到能够满足所有人的需要的规模;结束牺牲一些人的利益来满足另一些人的需要的状况;彻底消灭阶级和阶级对立;通过消除旧的分工,通过产业教育、变换工种、所有人共同享受大家创造出来的福利,通过城乡的融合,使社会全体成员的才能得到全面发展,——这就是废除私有制的主要结果。

第二十一个问题:共产主义社会制度对家庭将产生什么影响?

答:共产主义社会制度将使两性关系成为仅仅和当事人有关而社会无须干预的纯粹私人关系。共产主义社会制度之所以能实现这一点,是由于这种社会制度将废除私有制并将由社会教育儿童,从而将消灭迄今为止的婚姻的两种基础,即私有制所产生的妻子依赖丈夫、孩子依赖父母。这也是对道貌岸然的市侩关于共产主义公妻制的号叫的回答。公妻制完全是资产阶级社会的现象,现在的卖淫就是公妻制的充分表现。卖淫是以私有制为基础的,它将随着私有制的消失而消失。因此,共产主义组织并不实行公妻制,正好相反,它要消灭公妻制。

第二十二个问题:共产主义组织将怎样对待现有的民族?

——保留原案[53]。

第二十三个问题:共产主义组织将怎样对待现有的宗教?

——保留原案[54]。

第二十四个问题:共产主义者和社会主义者有什么区别?

答:所谓社会主义者分为三类:

第一类是封建和宗法社会的拥护者,这种社会已被大工业、世界贸易和由它们造成的资产阶级社会所消灭,并且每天还在消灭。这一类社会主义者从现今社会的弊病中得出了这样的结论:应该恢复封建和宗法社会,因为它没有这种种弊病。他们的所有建议都是直接或间接地为了这一目的。共产主义者随时都要坚决同这类**反动的**社会主义者作斗争,尽管他们假惺惺地表示同情无产阶级的苦难并为此而洒出热泪。因为:

(1)他们追求一种根本不可能的事情;

(2)他们企图恢复贵族、行会师傅、工场手工业主以及和他们相联系的专制君主或封建君主、官吏、士兵和僧侣的统治,他们想恢复的这种社会固然没有现今社会的各种弊病,但至少会带来同样多的其他弊病,而且它根本不可能展现通过共产主义组织来解放被压迫工人的任何前景;

(3)当无产阶级成为革命的和共产主义的阶级的时候,这些社会主义者总要暴露出他们的真实意图。那时他们马上和资产阶级联合起来反对无产者。

第二类是现今社会的拥护者,现今社会必然产生的弊病,使他们为这个社会的存在担心。因此,他们力图保持现今社会,不过要消除和它联系在一起的弊病。为此,一些人提出了种种简单的慈善办法,另一些人则提出了规模庞大的改革计划,这些计划在改组社会的借口下企图保存现今社会的基础,从而保存现今社会本身。共产主义者也必须同这些**资产阶级社会主义者**作不懈的斗争,因为他们的活动有利于共产主义者的敌人,他们所维护的社会正是共产主义者所要推翻的社会。

最后,第三类是民主主义的社会主义者,他们希望沿着和共产主义者相同的道路去实现×××问题①中所提出的部分措施,但他们不是把这些措施当做走向共产主义的过渡办法,而是当做足以消除贫困和现今社会的弊病的措施。这些**民主主义的社会主义者**,或者是还不够了解本阶级解放条件的无产者,或者是小资产阶级的代表,这个阶级直到争得民主和实行由此产生的社会主义措施为止,在许多方面都和无产者有共同的利益。因此,共产主义者在行动的时候,只要民主主义的社会主义者不为占统治地位的资产阶级效劳和不攻击共产主义者,就应当和这些社会主义者达成协议,同时尽可能和他们采取共同的政策。当然,共同行动并不排除讨论存在于他们和共产主义者之间的分歧意见。

第二十五个问题:共产主义者怎样对待现有的其他政党?

答:在不同的国家采取不同的态度。在资产阶级占统治地位的英国、法国和比利时,共产主义者和各民主主义政党暂时还有共同的利益,并且民主主义者在他们现在到处坚持的社会主义措施中越接近共产主义者的目的,就是说,他们越明确地坚持无产阶级的利益和越依靠无产阶级,这种共同的利益就越多。例如在**英国**,由工人组成的宪章派[45]就要比民主主义小资产者或所谓激进派在

---

① 手稿此处空白,指的是第十八个问题。——编者注

极大程度上更接近共产主义者。

在实行民主宪法的**美国**,共产主义者必须支持愿意用这个宪法去反对资产阶级、并利用它来为无产阶级谋利益的政党,即全国土地改革派[47]。

在**瑞士**,激进派虽然本身也是个成分极其复杂的政党,但他们是共产主义者所能接触交往的唯一政党,其中瓦特州和日内瓦州的激进派又是最进步的。

最后,在**德国**,资产阶级和专制君主制之间的决战还在后面。但是,共产主义者不能指望在资产阶级取得统治以前就和资产阶级进行决战,所以共产主义者为了本身的利益必须帮助资产阶级尽快地取得统治,以便尽快地再把它推翻。因此,在同政府的斗争中,共产主义者始终应当支持自由派资产者,只是应当注意,不要跟着资产者自我欺骗,不要听信他们关于资产阶级的胜利会给无产阶级带来良好结果的花言巧语。共产主义者从资产阶级的胜利中得到的好处只能是:(1)得到各种让步,使共产主义者易于捍卫、讨论和传播自己的原则,从而使无产阶级易于联合成一个紧密团结的、准备战斗的和有组织的阶级;(2)使他们确信,从专制政府垮台的那一天起,就轮到资产者和无产者进行斗争了。从这一天起,共产主义者在这里所采取的党的政策,将和在资产阶级现在已占统治地位的那些国家里所采取的政策一样。

弗·恩格斯写于 1847 年 10 月底—11 月

1914 年以小册子形式出版

原文是德文

选自《马克思恩格斯选集》第 3 版第 1 卷第 295—312 页

弗·恩格斯

关于共产主义者同盟的历史⁵⁵

随着科隆共产党人1852年被判决¹³,德国独立工人运动第一个时期的帷幕便降下了。这个时期现在几乎已经被遗忘。但它从1836年起持续到了1852年,并且随着德国工人散居国外,这个运动差不多在一切文明国家中都曾经开展过。而且还不仅如此。目前的国际工人运动实际上是当年德国工人运动的直接继续,那时的德国工人运动一般说来是**第一次国际工人运动**,并且产生出许多在国际工人协会¹⁴中起领导作用的人。而共产主义者同盟²在1847年的《共产主义宣言》①中写在旗帜上的理论原则,则是目前欧洲和美洲整个无产阶级运动的最牢固的国际纽带。

直到现在,关于这个运动的系统的历史只有一个主要的史料来源。这就是所谓的黑书:维尔穆特和施梯伯《19世纪共产主义者的阴谋》,1853年和1854年柏林版,上下两册。⁵⁶本世纪两个最卑鄙的警棍制造的这本充满故意捏造的拙劣作品,至今还是一切论述那一时期的非共产主义著作的重要的史料

---

① 即《共产党宣言》。——编者注

来源。

　　我在这里所能谈的只是一个梗概,而且也只限于同盟本身;只能谈一谈为了理解《揭露》①所绝对必要的东西。我希望,将来还能有机会,把马克思和我收集的关于国际工人运动这一光辉青年时代的历史的丰富材料整理一下。

————

　　1836 年,一批最激进的、大部分是无产阶级的分子从德国流亡者 1834 年在巴黎创立的民主共和主义的秘密同盟"流亡者同盟"中脱离出来,组成了一个新的秘密同盟——**正义者同盟**[57]。原先的同盟只剩下雅科布·费奈迭这类最不活跃的分子,很快便沉寂了:当警察在 1840 年破获它在德国的几个支部时,它几乎只剩下一个影子。相反,新的同盟却发展得比较迅速。它原是当时在巴黎形成的受巴贝夫主义[58]影响的法国工人共产主义的一个德国分支;它要求实行财产公有,作为实现"平等"的必然结果。它的宗旨同当时巴黎各秘密团体的宗旨一样,都是半宣传、半密谋的团体,而巴黎也一向被看做革命活动的中心,虽然决不排除准备适当时机在德国举行起义的可能。但是,由于巴黎仍是决战的场所,所以事实上这个同盟在当时不过是法国各秘密团体,特别是同它有密切联系的由布朗基和巴尔贝斯领导的四季社[59]的德国分支。法国人在 1839 年 5 月 12 日举行了起义;同盟各支部都同他们一起行动,因而也同他们一起遭到了失败。

　　德国人之中被捕的有**卡尔·沙佩尔**和**亨利希·鲍威尔**;路易-

————

① 马克思《揭露科隆共产党人案件》,见《马克思恩格斯全集》中文第 2 版第 11 卷。——编者注

0

菲力浦政府所做的就是把他们比较长期地监禁之后驱逐出境。**60**两人都去了伦敦。沙佩尔出生在拿骚的魏尔堡;他在吉森学习林业科学时于 1832 年加入了格奥尔格·毕希纳组织的密谋团体,1833 年 4 月 3 日参加了袭击法兰克福警察岗哨的行动**61**,而后逃亡国外,并于 1834 年 2 月参加了马志尼向萨瓦的进军**62**。他身材魁伟,果断刚毅,时刻准备牺牲殷实的生活以至生命,是 30 年代起过一定作用的职业革命家的典型。正像他从"蛊惑者"**63**到共产主义者的发展所证明的,他虽然思维有些迟缓,但决不是不能较深刻地理解理论问题,并且一经理解就更加坚定地奉行。正因为如此,他的革命热情有时要越出他的理智,但他事后总是发现自己的错误,并公开承认这些错误。他是个能干的人,他在开创德国工人运动方面所做的一切是永远不会被遗忘的。

亨利希·鲍威尔生于法兰克尼亚,是鞋匠;他是个活泼、机敏而诙谐的小个子;但在他那矮小的身体里也蕴藏着许多机警和果断。

鲍威尔到达伦敦后,遇见了曾在巴黎当过排字工人,当时靠教授语文维持生活的沙佩尔;他们两人一起恢复了同盟的各种中断了的联系,使伦敦成了同盟的中心。在这里(或许更早些时候在巴黎)同他们联合起来的有科隆的钟表匠**约瑟夫·莫尔**;这是个中等身材的大力士——他曾同沙佩尔一起(屡次!)成功地抵挡住成百个企图闯进厅门的敌人——,在毅力和决心方面起码不亚于他的两个同志,而在智力上则胜过他们。他不仅是个天生的外交家,他多次作为全权代表出差获得的成功证明了这点,而且,对于理论问题也比较容易领会。1843 年我在伦敦认识了他们三人,这是我遇到的第一批革命无产者。尽管我们当时的观点在个别问题上有分歧——对于他们的狭隘平均共产主义①，我当时还报之以在某种程度上同样狭隘的哲学高傲态度——，但我永远也不会忘记这三个真正的男子汉在我自己还刚刚想要成为一个男子汉的时候所留给我的令人敬佩的印象。

在伦敦，也像在瑞士(在较小的程度上)一样，结社、集会的自由便利了他们。早在1840年2月7日，公开的德意志工人教育协会**64**就已经成立，它直到今天还存在着。这个协会成了同盟吸收新盟员的地方；因为共产主义者一向是最活跃最有知识的会员，协会的领导权自然就完全掌握在同盟手中。不久，同盟在伦敦便建立了一些支部，当时尚称为"聚会点"。这个十分明显的策略在瑞士和其他地方也都采用了。凡是能够建立工人协会的地方，同盟盟员都以同样的方式利用了它们。凡是法律禁止这样做的地方，同盟盟员便参加歌咏团、体操协会等团体。联系主要靠不断来往的盟员来维持，这些盟员在必要时也担任特使。在这两方面，各政府的聪明才智给了同盟很大帮助，这些政府把它们看不惯的工人——十有八九是同盟盟员——全都驱逐出境，结果就把他们变成了特使。

重建的同盟大大扩展起来了。例如在瑞士，**魏特林**、**奥古斯特·贝克尔**(一个智力非凡的人，但也像许多德国人一样由于动摇而垮掉)等人建立了一个或多或少忠于魏特林共产主义**27**体系的坚强组织。这里不是批评魏特林共产主义的地方。但是，对于它作为德国无产阶级的第一次独立理论运动所具有的意义，至今

① 恩格斯在这里加了一个注："如上所述，我把平均共产主义理解为全部或主要以要求平等为依据的共产主义。"——编者注

我还同意马克思在 1844 年巴黎《前进报》[65]上所说的话：（德国的）"资产阶级，包括其哲学家和学者在内，有哪一部论述**资产阶级解放——政治解放——**的著作能和魏特林的《和谐与自由的保证》一书媲美呢？只要把德国的政治论著中那种褊狭卑俗的平庸气同德国工人的这部史无前例的光辉灿烂的处女作比较一下，只要把**无产阶级巨大的童鞋**同德国资产阶级极小的政治烂鞋比较一下，我们就能够预言德国灰姑娘将来必然长成一个大力士的体型。"①这个大力士今天已站在我们面前，虽然他还远远没有发育成熟。

在德国也有了许多支部，这些支部由于当时的情况而带有短暂的性质；但是，新成立的支部远远多于瓦解的支部。警察只是在七年以后（1846 年底）才在柏林（门特尔）和马格德堡（贝克）发现了同盟的踪迹，[66]但进一步追寻就无能为力了。

在巴黎，1840 年还住在那里的魏特林在他去瑞士以前，也把分散的成员重新聚集起来。

同盟的骨干是裁缝。德国裁缝在瑞士，在伦敦，在巴黎，到处都有。在巴黎，德语在裁缝业中占有如此主要地位，以致 1846 年我在那里认识的一个从德隆特海姆乘船直达法国的挪威裁缝，在一年半内几乎没有学会一个法文字，而德语却学得很好。1847年，在巴黎各支部中，有两个支部成员主要是裁缝，有一个支部成员主要是家具工人。

自从重心由巴黎移到伦敦，便明显地出现了一个新的情况：同

---

① 马克思《评一个普鲁士人的〈普鲁士国王和社会改革〉一文》，参看《马克思恩格斯全集》中文第 2 版第 3 卷第 390 页。——编者注

盟逐渐从德国的变成**国际的**了。参加工人协会的,除了德国人和瑞士人以外,还有主要是用德语同外国人交往的那些民族的会员,如斯堪的纳维亚人、荷兰人、匈牙利人、捷克人、南方斯拉夫人以及俄国人和阿尔萨斯人。1847年,甚至有一个穿军服的英国近卫军掷弹兵也成了常客。协会不久便命名为工人**共产主义**教育协会[64],在会员证上至少用20种文字写着(虽然某些地方不免有错误)"人人皆兄弟!"这句话。像公开的协会一样,秘密的同盟不久也具有了更大的国际性;起初这种国际性还是有限的:在实践上,是由于盟员的民族成分复杂,在理论上,是由于认为任何革命要取得胜利,都必须是欧洲规模的。当时还没有超出这个范围,但基础已经打下了。

通过流亡在伦敦的1839年5月12日起义的战友,同盟和法国革命者保持了密切的联系。同样也和波兰激进派保持了密切的联系。波兰的正式流亡者,也和马志尼一样,当然与其说是盟友,不如说是敌人。英国的宪章派[45],由于他们的运动具有特殊的英国性质,被看做不革命的而受到漠视。同盟的伦敦领导者们只是后来通过我才同他们建立了联系。

此外,随着一桩桩事变的发生,同盟的性质也发生了变化。虽然人们仍然把巴黎看做革命策源地——这在当时是有充分理由的,但是已经摆脱对巴黎密谋活动家的依赖性。随着同盟的发展,它的自觉性也提高了。人们可以感到,运动日益在德国工人阶级中间扎根,这些德国工人负有成为北欧和东欧工人的旗手的历史使命。他们拥有魏特林这样一个共产主义理论家,可以大胆地把他放在同当时他的那些法国竞争者相匹敌的地位。最后,5月12日的经验表明,盲动的尝试已经应该放弃。如果说当时人们仍然把每个事变解释为风暴来临的预兆,如果说当时人们仍然完全保留着半密谋性的旧章程,那么,这主要是由于老革命者固执己见,他们的见解已经开始同那些正在为自己开辟道路的比较正确的观点发生冲突。

另一方面,同盟的社会学说很不确定,它有一个很大的、根源于社会关系本身的缺点。一般地说,同盟的成员是工人,但他们几乎都是地道的手工业者。即使在世界各大城市,剥削他们的也多半只是小作坊师傅。通过把裁缝手工业变成听命于大资本家的家庭工业,从而大规模地对裁缝业即现在所谓的服装业实行剥削,当时甚至在伦敦也是刚刚出现的事情。一方面,剥削这些手工业者的是小作坊师傅;另一方面,这些手工业者全都希望自己最终也能成为小作坊师傅。此外,当时的德国手工业者还有许多流传下来的行会观念。这些手工业者的最大光荣是:虽然他们本身还不是真正的无产者,而只不过是正在向现代无产阶级转变的、附属于小资产阶级的一部分人,还没有同资产阶级即大资本处于直接对立地位,但他们已经能够本能地预料到自己未来的发展,并且能够组成为(虽然还不是充分自觉地)一个无产阶级政党了。然而,有一点也是不可避免的:每当问题涉及具体批判现存社会,即分析经济事实的时候,他们的手工业者旧有的成见对于他们就成为一种障碍。我不相信当时在整个同盟里有一个人读过一本经济学书籍。但这没有多大关系;"平等"、"博爱"和"正义"暂时还有助于克服一切理论上的困难。

但是,除了同盟的和魏特林的共产主义以外,同时还有另外一种根本不同的共产主义形成了。我在曼彻斯特时异常清晰地观察到,迄今为止在历史著作中根本不起作用或者只起极小作用的经济事实,至少在现代世界中是一个决定性的历史力量;这些经济事实形成了产生现代阶级对立的基础;这些阶级对立,在它们因大工业而得到充分发展的国家里,因而特别是在英国,又是政党形成的基础,党派斗争的基础,因而也是全部政治史的基础。马克思不仅得出同样的看法,并且在《德法年鉴》(1844 年)[67]里已经把这些看法概括成如下的意思:决不是国家制约和决定市民社会[68],而是市民社会制约和决定国家,因而应该从经济关系及其发展中来解释政治及其历史,而不是相反。当我 1844 年夏天在巴黎拜访马克思时,我们在一切理论领域中都显出意见完全一致,从此就开始了我们共同的工作。1845 年春天当我们在布鲁塞尔再次会见时,马克思已经从上述基本原理出发大致完成了阐发他的唯物主义历史理论的工作,于是我们就着手在各个极为不同的方面详细制定这种新形成的世界观了。

但是,这个在史学方面引起变革的发现,这个正如我们所看到的主要是马克思作出而我只能说参加了很少一部分工作的发现,对于当时的工人运动却有着直接的意义。法国人和德国人的共产主义、英国人的宪章运动[45],现在不再像是一种也可能不会发生的偶然现象了。这些运动现在已经被看做现代被压迫阶级即无产阶级的运动,被看做他们反对统治阶级即资产阶级的历史上必然的斗争的或多或少发展了的形式,被看做阶级斗争的形式,而这一阶级斗争和过去一切阶级斗争不同的一点是:现代被压迫阶级即无产阶级如果不同时使整个社会摆脱阶级划分,从而摆脱阶级斗争,就不能争得自身的解放。因此,共产主义现在已经不再意味着凭空设想一种尽可能完善的社会理想,而是意味着深入理解无产阶级所进行的斗争的性质、条件以及由此产生的一般目的。

我们决不想把新的科学成就写成厚厚的书,只向"学术"界吐露。正相反,我们两人已经深入到政治运动中;我们已经在知识分子中间,特别是在德国西部的知识分子中间获得一些人的拥护,并且同有组织的无产阶级建立了广泛联系。我们有义务科学地论证我们的观点,但是,对我们来说同样重要的是:争取欧洲无产阶级,首先是争取德国无产阶级拥护我们的信念。我们明确了这一点以后,就立即着手工作了。我们在布鲁塞尔建立了德意志工人协会[69],掌握了《德意志—布鲁塞尔报》[70],该报一直到二月革命[3]始终是我们的机关报。我们通过朱利安·哈尼同英国宪章派中的革命部分保持着联系,哈尼是宪章运动中央机关报《北极星报》[71]的编辑,我是该报的撰稿人。我们也和布鲁塞尔的民主派(马克思是民主协会[72]副主席),以及《改革报》[46](我向该报提供关于英国和德国运动的消息)方面的法国社会民主派结成了某种联盟关系。总之,我们同激进派的和无产阶级的组织和刊物的联系是再好也没有了。

我们同正义者同盟的关系有如下述。存在这样一个同盟,我们当然是知道的;1843年沙佩尔建议我加入同盟,当时我自然拒绝了这个建议。但是,我们不仅同伦敦的盟员经常保持通讯联系,并且同巴黎各支部当时的领导人艾韦贝克医生有更为密切的交往。我们不参与同盟的内部事务,但仍然知道那里发生的一切重要事件。另一方面,我们通过口头、书信和报刊,影响着最杰出的盟员的理论观点。我们在问题涉及当时正在形成的共产党的内部事务的特殊场合,向世界各处的朋友和通讯员分发各种石印通告,也是为了这个目的。这些通告有时也涉及同盟本身。例如,有一个年轻的威斯特伐利亚大学生海尔曼·克利盖到了美洲,在那里以同盟特使的身份出现,和一个疯子哈罗·哈林建立了联系,企图利用同盟在南美洲掀起变革;他创办了一家报纸[73],在报纸上以同盟的名义鼓吹一种以"爱"为基础、充满着爱、十分多情、陶醉于爱的共产主义。我们在一个通告①里反对了他,这个通告立即发生了作用:克利盖从同盟舞台上消失了。

后来,魏特林到了布鲁塞尔。但这时他已经不再是一个年轻天真的裁缝帮工了,他对自己的才能感到惊讶,力求弄清共产主义社会究竟会是什么样子的。这时他是一个由于自己的优势而受忌妒者迫害的大人物,到处都觉得有竞争者、暗敌和陷阱;这个从一个国家被赶到另一国家的预言家,口袋里装有一个能在地上建成天堂的现成药方,并且觉得每个人都在打算窃取他的这个药方。他在伦敦时就已经和同盟盟员发生争吵,在布鲁塞尔(在那里特别是马克思夫妇对他表现了几乎是超人的耐心)他也还是同任何人都合不来。所以不久他就到美洲去了,想要在那里完成他的预言家的使命。

所有这些情况都促进了同盟内部,特别是伦敦领导者内部悄悄发生的转变。他们越来越明白,过去的共产主义观点,无论是法国粗陋的平均共产主义还是魏特林共产主义,都是不够的。魏特林所著《一个贫苦罪人的福音》②一书中有个别的天才论断,但他把共产主义归结为原始基督教,这就使瑞士的运动起初大部分掌握在阿尔布雷希特这类蠢货手中,后来又掌握在库尔曼这类诈取

---

① 马克思和恩格斯《反克利盖的通告》,见《马克思恩格斯全集》中文第1版第4卷。——编者注
② 威·魏特林《一个贫苦罪人的福音》1846年比尔斯费尔德版。——编者注

钱财的骗子预言家手中。由几个美文学家所传播的"真正的社会主义"**74**,是把法国社会主义语句翻译成陈腐的黑格尔德文和伤感的陶醉于爱的幻想(见《共产主义宣言》①中关于德国的或"真正的"社会主义一节)②,这种通过克利盖和通过阅读有关著作而传入同盟的社会主义,仅仅由于它软弱无力就必然会引起同盟中老革命者的厌恶。过去的理论观念毫无根据以及由此产生的实践上的错误,越来越使伦敦的盟员认识到马克思和我的新理论是正确的。当时伦敦领导者中有两个人无疑促进了这种认识,他们在理论理解能力上大大超过上面所说的那些人。这两个人是海尔布隆的微型画画家卡尔·普芬德和图林根的裁缝格奥尔格·埃卡留斯。③

　　一句话,1847年春天莫尔到布鲁塞尔去找马克思,接着又到巴黎来找我,代表他的同志们再三邀请我们加入同盟。他说,他们确信我们的观点都是正确的,也确信必须使同盟摆脱陈旧的密谋性的传统和形式。如果我们愿意加入同盟,我们将有可能在同盟代表大会上以宣言形式阐述我们的批判的共产主义,然后可以作为同盟的宣言发表;同时我们也将有可能帮助同盟用新的符合时代和目的的组织来代替它的过时的组织。

　　至于说在德国工人阶级队伍中必须有一个哪怕只以宣传为目

---

① 即《共产党宣言》。——编者注
② 见本书第55—58页。——编者注
③ 恩格斯在这里加了一个注:"普芬德约在八年前死于伦敦。他是一个思维特别细致的人,诙谐风趣、喜欢嘲讽、能言善辩。埃卡留斯,大家都知道,后来曾多年任国际工人协会总书记,在参加国际工人协会总委员会的人当中,有共产主义者同盟的如下老盟员:埃卡留斯、普芬德、列斯纳、罗赫纳、马克思和我。后来埃卡留斯完全献身于英国工会运动。"——编者注

的的组织,至于说这个组织由于它将不只具有地方性质,所以即使在德国境外也只能是秘密的组织,对此我们没有怀疑过。而同盟就正是这样一个组织。我们以前认为是同盟的缺点的地方,现在同盟代表们自己承认,并且已经消除;甚至还邀请我们参加改组工作,我们能拒绝吗? 当然不能。于是我们加入了同盟。马克思在布鲁塞尔把比较靠近我们的朋友组成一个同盟支部,而我则经常到巴黎的三个支部去。

1847 年夏天在伦敦举行了同盟第一次代表大会,威·沃尔弗代表布鲁塞尔各支部,我代表巴黎各支部参加了这次大会。会上首先进行了同盟的改组。密谋时代遗留下来的一切旧的神秘名称都被取消了;同盟现在已经是由支部、区部、总区部、中央委员会以及代表大会构成的了,并且从这时起它命名为"共产主义者同盟"**2**。"同盟的目标是:推翻资产阶级,建立无产阶级统治,消灭以阶级对立为基础的资产阶级旧社会,建立没有阶级、没有私有制的新社会。"——章程第一条这样说。① 组织本身是完全民主的,它的各委员会由选举产生并随时可以罢免,仅这一点就已堵塞了任何要求独裁的密谋狂的道路,而同盟——至少在平常的和平时期——已变成一个纯粹宣传性的团体。这个新章程曾交付——现在一切都按这样的民主制度进行——各支部讨论,然后又由第二次代表大会再次审查并于 1847 年 12 月 8 日最后通过。这个章程载于维尔穆特和施梯伯的书**56**第 1 册第 239 页附录十。

第二次代表大会于同年 11 月底至 12 月初举行。马克思也出席了这次代表大会,他在长时间的辩论中——大会至少开了 10

---

① 见本书第 138 页。——编者注

天——捍卫了新理论。所有的分歧和怀疑终于都消除了,一致通过了新原则,马克思和我被委托起草宣言。宣言在很短时间内就完成了。二月革命前几个星期它就被送到伦敦去付印。自那时起,它已经传遍全世界,差不多译成了所有各种文字,并且直到今天还是世界各国无产阶级运动的指南。同盟的旧口号"人人皆兄弟",已经由公开宣布斗争的国际性的新战斗口号"全世界无产者,联合起来!"所代替。17 年以后,这个口号作为国际工人协会的战斗号角响彻全世界,而今天世界各国斗争着的无产阶级都已经把它写到自己的旗帜上。

二月革命爆发了。伦敦中央委员会立刻把它的职权转交给布鲁塞尔总区部。但当这个决定传到布鲁塞尔时,那里事实上已经完全处于戒严状态,特别是德国人,在任何地方都不能举行集会了。我们大家都正准备到巴黎去,而新中央委员会因此也决定自行解散,把它的全部职权交给马克思,并且授权他在巴黎立刻成立新中央委员会。通过这个决议(1848 年 3 月 3 日)的五个人刚一分手,警察就闯进了马克思的住宅,把他逮捕,并强迫他第二天就动身前往他正好要去的法国。

不久我们大家又在巴黎会面了。在这里拟定了下面的由新中央委员会的委员们签署的文件,这个文件曾在整个德国传播,并且许多人直到今天还可以从里面学到一些东西。

共产党在德国的要求[75]

1. 宣布全德国为统一的、不可分割的共和国。

3. 给人民代表支付薪金,使德国工人也有可能出席德国人民的国会。

4. 武装全体人民。

7. 各邦君主的领地和其他封建地产,一切矿山、矿井等等,全部归国家所有。在这些土地上用最新的科学方法大规模地经营农业,以利于全社会。

8. 宣布农民的抵押地归国家所有。这些抵押地的利息由农民交纳给国家。

9. 在通行租佃制的地区,地租或租金作为赋税交纳给国家。

11. 国家掌握一切运输工具:铁路、运河、轮船、道路、邮局等。它们全部转为国家财产,并且无偿地由没有财产的阶级支配。

14. 限制继承权。

15. 实行高额累进税,取消消费税。

16. 建立国家工场。国家保证所有工人都能生存,并且负责照管没有劳动能力的人。

17. 实行普遍的免费的国民教育。

为了德国无产阶级、小资产阶级和小农的利益,必须尽力争取实现上述各项措施;因为只有实现这些措施,德国千百万一直受少数人剥削,且少数人仍力图使之继续受压迫的人,才能争得自己的权利和作为一切财富的生产者所应有的权力。

委　员　会:

卡尔·马克思　卡尔·沙佩尔　亨·鲍威尔

弗·恩格斯　约·莫尔　威·沃尔弗

当时在巴黎人们热衷于组织革命义勇军。西班牙人、意大利人、比利时人、荷兰人、波兰人和德国人，都组成队伍，准备去解放自己的祖国。德国义勇军是由海尔维格、伯恩施太德和伯恩施太因三人领导的。由于一切外国工人在革命以后不但立刻失去工作，而且还在社会上受到排挤，所以愿意加入这种义勇军的人数是很多的。新政府想利用组织义勇军的办法来摆脱外国工人，于是决定给他们提供 l'étape du soldat，即行军宿营地和每日 50 生丁的津贴，直到他们到达边境为止，在那里，那位经常被感动得流泪的外交部长、饶舌家拉马丁就乘机把他们出卖给有关政府。

我们十分坚决地反对这种革命儿戏。当德国发生骚动的时候侵入德国，以便从外面强行输入革命，那就等于破坏德国的革命，加强各邦政府，并且使义勇军徒手去受德国军队摆布——这一点是有拉马丁作保证的。由于维也纳和柏林的革命取得胜利，组织义勇军已经毫无意义；然而，儿戏一开始，就停不下来了。

我们建立了一个德国共产主义俱乐部**[76]**，在里面说服工人不要去参加义勇军，而应当单个返回祖国，在那里为加强运动而进行活动。我们的老友弗洛孔当时任临时政府委员，为那些由我们派回国的工人争得了许诺给义勇军的同样的旅途便利。这样我们就送了三四百个工人回到德国去，其中绝大多数是同盟盟员。

当时不难预见，在突然爆发的人民群众运动面前，同盟是个极其软弱的工具。过去在国外侨居的同盟盟员，有四分之三回国后就改变了自己的住址。他们以前的支部因此大部分都解散了，他们和同盟的联系完全断绝。他们中间有一部分比较爱出风头的人，甚至不想恢复这种联系，而各行其是，开始在自己所在的地方开展小小的分散的运动。最后，各小邦、各省份、各城市的形势非常不同,以致同盟要发指示也只能是极为一般的指示;而这种指示通过报刊来传播要好得多。一句话,自从使秘密同盟需要存在的原因消失时起,这样的秘密同盟本身也就失去了意义。而这对于刚刚使这个秘密同盟摆脱了最后一点密谋性残余的人们来说,是毫不奇怪的。

但同盟却是一个极好的革命活动学校,这一点现在已经得到证明了。在有《新莱茵报》[77]作为坚强中心的莱茵地区、在拿骚、在莱茵黑森等等地方,到处都是由同盟盟员在领导极端民主运动。在汉堡也是如此。在德国南部,小资产阶级民主派的优势地位成了这样做的障碍。在布雷斯劳,威廉·沃尔弗成效卓著地活动到1848年夏天;他还在西里西亚获得了法兰克福议会议员委任状。最后,曾在布鲁塞尔和巴黎作为同盟盟员积极活动的排字工人斯蒂凡·波尔恩,在柏林建立了"工人兄弟会"[78],这个组织有过很广泛的发展,并且一直存在到1850年。波尔恩是一个有才能的青年,但是他有些太急于要成为大政治家,竟和各色各样的坏家伙"称兄道弟",只图在自己周围纠合一群人。他完全不是一个能统一各种矛盾意向、澄清混乱状况的人物。因此,他那个兄弟会所发表的正式文件往往混乱不堪,竟把《共产主义宣言》①的观点同行会习气和行会愿望、同路易·勃朗和蒲鲁东的观点的残屑碎片、同拥护保护关税政策的立场等等混杂在一起;一句话,这些人想讨好一切人。他们特别致力于组织罢工,组织工会和生产合作社,却忘记了首要任务是通过政治上的胜利先取得一个唯一能够持久地实现这一切的活动场所。所以,当反动势力的胜利迫使这

---

①　即《共产党宣言》。——编者注

个兄弟会的首脑们感到必须直接参加革命斗争的时候,原先集合在他们周围的乌合之众就自然而然地离开了他们。波尔恩参加了1849 年 5 月德累斯顿的起义[79]并幸免于难,但是,"工人兄弟会"则对无产阶级的伟大政治运动采取袖手旁观的态度,成为一个地地道道的宗得崩德[80],在很大程度上只是徒有虚名,它的作用无足轻重,所以直到 1850 年反动派才觉得有必要取缔它,而它的延续下来的分支则过了几年以后才被认为有必要取缔。真姓是布特尔米尔希的波尔恩没有成为大政治家,而成了瑞士的一个小小的教授,他不再把马克思著作译成行会语言,而是把温情的勒南的作品译成他那特有的多愁善感的德语。

随着 1849 年巴黎 6 月 13 日事件[81]的发生,随着德国五月起义[82]的失败和俄国人对匈牙利革命的镇压[83],1848 年革命的整个伟大时期便结束了。但是,反动派的胜利这时还决不是最后的胜利。必须把被打散的革命力量重新组织起来,因而同盟也必须重新组织起来。像 1848 年以前一样,形势使得无产阶级的任何公开组织都不可能存在;因此,不得不重新秘密地组织起来。

1849 年秋天,以前各中央委员会和代表大会的大多数委员和代表重新聚集在伦敦;只缺少沙佩尔和莫尔。沙佩尔当时被监禁于威斯巴登,1850 年春天获释后也到了伦敦。莫尔为了执行重要任务和进行宣传鼓动,曾在极危险的情况下多次出差(最后他在莱茵省普鲁士军队中为普法尔茨炮兵队招募骑乘炮手),后来加入了维利希部队的贝桑松工人连,在穆尔格河战役中在罗滕费尔斯桥边头部中弹牺牲。但这时维利希出现了。维利希是 1845 年以来在德国西部常见的感情用事的共产主义者之一;只从这一点来说,他就本能地对我们批判派暗中抱对立态度。但他不仅仅是这样,他还是一个十足的预言家,对于自己肩负着作为德国无产阶级天生的解放者的使命深信不疑,并以这种预言家身份直接要求取得政治独裁权和军事独裁权。这样,除了过去由魏特林所鼓吹的原始基督教共产主义之外,又产生了某种共产主义的伊斯兰教。不过,这一新宗教的宣传暂时还没有越出维利希所指挥的流亡者兵营[84]的范围。

　　同盟就这样重新组织起来,发表了刊登在附录(九,第1号)中的1850年3月的《告同盟书》①,亨利希·鲍威尔作为特使被派往德国。由马克思和我校审的这篇告同盟书直到今天还是有意义的,因为小资产阶级民主派直到现在也还是这样一个政党,这个政党在即将来临的下一次欧洲震动(各次欧洲革命—— 1815年、1830年、1848—1852年、1870年——间隔的时间,在我们这一世纪是15年到18年)中,在德国无疑会作为使社会摆脱共产主义工人的救星而首先获得政权。因此,在那里所说的,有许多今天也还适用。亨利希·鲍威尔的出使得到了完全的成功。这个矮小快活的鞋匠是个天生的外交家。他把有些是离开了活动,有些是独立进行活动的过去的盟员重新集合在一个积极的组织内,其中也包括"工人兄弟会"当时的领袖们。同盟开始在各个工人协会、农民协会和体操协会中起着比1848年以前还要大得多的主导作用,所以在1850年6月印出的下一期(三个月一期)告各支部书已经可以指出:为小资产阶级民主派而周游德国的波恩大学生叔尔茨(后来在美国当过部长)"发现所有可利用的力量已经掌握在同盟

---

① 马克思和恩格斯《共产主义者同盟中央委员会告同盟书》,见《马克思恩格斯选集》第3版第1卷。——编者注

的手里"（见附录九，第 2 号）[85]。同盟无疑是在德国唯一起过作用的革命组织。

然而这个组织能起什么样的作用，则主要取决于革命新高涨的前景能否实现。而这一点在 1850 年期间越来越不大可能，甚至完全不可能了。曾经准备了 1848 年革命的 1847 年工业危机已经消除；一个新的、空前未有的工业繁荣时期已经开始。每个长着眼睛来看事物，并且用它来看过事物的人，都应该很清楚地知道：1848 年的革命风暴正在逐渐平息。

"在这种普遍繁荣的情况下，即在资产阶级社会的生产力正以在整个资产阶级关系范围内所能达到的速度蓬勃发展的时候，**也就谈不到什么真正的革命**。只有在现代生产力和资产阶级生产方式这两个要素互相矛盾的时候，这种革命才有可能。大陆秩序党内各个集团的代表目前争吵不休，并使对方丢丑，这决不能导致新的革命；相反，这种争吵之所以可能，只是因为社会关系的基础在目前是那么巩固，并且——这一点反动派并不清楚——是那么明显地**具有资产阶级特征**。一切想阻止资产阶级发展的反动企图**都会像民主派的一切道义上的愤懑和热情的宣言一样，必然会被这个基础碰得粉碎**。"① 马克思和我在载于《新莱茵报。政治经济评论》[86]的《时评。1850 年 5—10 月》一文里这样写过（1850 年汉堡版第 5—6 两期合刊第 153 页）。

但是，对局势的这一清醒看法在当时竟被许多人看做邪说，那时赖德律-洛兰、路易·勃朗、马志尼、科苏特以及那些不大显要的德国名人像卢格、金克尔、戈克等等一类人，群集在伦敦，他们不但

① 参看《马克思恩格斯选集》第 3 版第 1 卷第 541 页。——编者注

为各自的祖国，并且为全欧洲建立了一些未来的临时政府，而全部问题不过是要靠发行革命公债在美国筹措必要的经费，以便马上实现欧洲革命，从而建立理所当然的各个共和国。因此，像维利希这样的人落入这种圈套，连怀有旧日革命热情的沙佩尔也任人愚弄，以及多数伦敦工人（大部分是流亡者）都跟着他们滚入资产阶级民主派革命制造者的阵营，也就不足为怪了。一句话，我们所坚持的沉着态度并不合乎这班人的口味；他们认为，应该开始制造革命；我们极为坚决地拒绝了这种做法。于是发生了分裂。关于以后的情况，可在《揭露》里读到。接着，诺特荣克首先被捕，[87]后来又有豪普特在汉堡被捕，后者成了叛徒，竟泄露了科隆中央委员会委员的姓名，并且还要在法庭审判时充当主要证人；他的亲戚不愿蒙受这种耻辱，便把他送到里约热内卢去了，后来他在那里做了商人，由于他有功，先被任命为普鲁士总领事，后又被任命为德国总领事。现在他又在欧洲了。①

为了使人更好地理解《揭露》，我把科隆被告的名单列在下面：（1）彼·格·勒泽尔，雪茄烟工人；（2）亨利希·毕尔格尔斯，后来去世时是进步党邦议会议员；（3）彼得·诺特荣克，裁缝，数年前在布雷斯劳去世时是摄影师；（4）威·约·赖夫；（5）海尔曼·贝克尔博士，现任科隆市市长，上议院议员；（6）罗兰特·丹尼尔斯博士，医生，案件过后几年死于在狱中染上的肺病；（7）卡

---

① 恩格斯在这里加了一个注："沙佩尔60年代末在伦敦去世。维利希参加了美国内战[88]，并且战功卓著；他任准将时在默夫里斯伯勒（田纳西州）战役中胸部受伤，但又治愈；约于10年前在美国去世。关于上面说过的其他人，我还要指出：亨利希·鲍威尔在澳大利亚失踪了，魏特林和艾韦贝克在美国去世。"[89]——编者注

尔·奥托,化学家;(8)阿伯拉罕·雅科比博士,目前在纽约当医生;(9)约·雅·克莱因博士,目前在科隆当医生并任市议员;(10)斐迪南·弗莱里格拉特,他当时就已在伦敦;(11)约·路·埃尔哈德,店员;(12)弗里德里希·列斯纳,裁缝,目前住在伦敦。经过1852年10月4日至11月12日的公开审判,他们之中由陪审法庭按未遂叛国罪判处六年要塞监禁的有勒泽尔、毕尔格尔斯和诺特荣克;判处五年徒刑的有赖夫、奥托和贝克尔;判处三年徒刑的有列斯纳;丹尼尔斯、克莱因、雅科比和埃尔哈德被宣告无罪。

从科隆案件[13]时起就结束了德国共产主义工人运动第一个时期。紧接着判决之后,我们解散了我们的同盟;又几个月以后,维利希—沙佩尔的宗得崩德[80]也一命呜呼了。

————————

从那时到现在已经有三十多年了。那时,德国是一个手工业和以手工劳动为基础的家庭工业国家,现在它已经是一个工业不断急剧发展的大工业国了。那时,只有极少数工人理解自己作为工人的地位和自己同资本在历史上经济上的对立,因为那时这种对立本身还刚刚产生。现在,哪怕只是想稍稍延迟一下德国无产阶级发展到完全理解它作为被压迫阶级的地位的过程,也必须对整个德国无产阶级使用非常法。那时,已经认识到无产阶级历史使命的少数人,不得不秘密地聚集在一起,分成三人到二十人不等的小团体悄悄地举行集会。现在,德国无产阶级不再需要正式的组织,无论是公开的或秘密的;思想一致的阶级同志间的简单的自然联系,即使没有任何章程、委员会、决议以及诸如此类的具体形式,也足以震撼整个德意志帝国。俾斯麦在欧洲、在德国境外是仲裁人;而在国内,却如马克思还在1844年就已预见到的,德国无产阶级赫然可畏的大力士形象日益高大,对这个巨人来说,那个专供庸人使用的狭小的帝国建筑已经过于狭窄,他那魁伟的体格和宽阔的双肩不断壮大,有朝一日他只要从自己座位上站立起来,就可以使帝国宪法的整个建筑变为废墟。不仅如此,欧洲和美洲无产阶级的国际运动现在已经壮大到如此地步,以致不仅它那狭窄的第一个形式即秘密同盟,而且连它那更广泛无比的第二个形式即公开的国际工人协会[14],对它来说也成为一种桎梏了;单靠那种认识到阶级地位的共同性为基础的团结感,就足以使一切国家和操各种语言的工人建立同样的伟大无产阶级政党并使它保持团结。同盟在1847年到1852年所代表的学说,那时曾被聪明的庸人带着嘲笑的神情看做狂人呓语,看做几个孤单的宗派分子的秘密学说,现在,这个学说在世界一切文明国家里,在西伯利亚矿山的囚徒中,在加利福尼亚的采金工人中,拥有无数的信徒;而这个学说的创始人、当时受到人们的憎恨和诽谤最多的一个人——卡尔·马克思,直到逝世前,却是新旧两大陆无产阶级经常请教的、并且总是乐于提供帮助的顾问。

弗里德里希·恩格斯

1885年10月8日于伦敦

弗·恩格斯写于1885年9月底—10月8日

载于1885年11月12、19和26日《社会民主党人报》第46、47和48号

原文是德文

选自《马克思恩格斯选集》第3版第4卷第196—216页

马克思恩格斯
关于《共产党宣言》的重要论述摘编

　　请你把《信条》①考虑一下。我想,我们最好不要采用那种教义问答形式,而把这个文本题名为《共产主义宣言》②。因为其中或多或少要叙述历史,所以现有的形式完全不合适。我把我在这里草拟的东西③带去,这是用简单的叙述体写的,时间十分仓促,还没有作仔细的修订。我开头写什么是共产主义,接着写什么是无产阶级——它产生的历史,它和以前的劳动者的区别,无产阶级和资产阶级之间的对立的发展,危机,结论。其中也谈到各种次要问题,最后谈到了共产主义者的党的政策中应当公开的内容。这里的这个东西还没有提请批准,但是我想,除了某些小小不言的地方,要做到其中至少不包含任何违背我们观点的东西。

　　　　　恩格斯:1847 年 11 月 23 — 24 日致马克思的信,见
　　　　　《马克思恩格斯选集》第 3 版第 4 卷第 420 页

---

① 恩格斯《共产主义信条草案》,见本书。——编者注
② 即《共产党宣言》。——编者注
③ 恩格斯《共产主义原理》,见本书。——编者注

在 1848 年和 1849 年这两个革命的年头中,同盟**2**经受了双重的考验。第一重考验是,它的成员在各地积极参加了运动,不论在报刊上、街垒中还是在战场上,都站在唯一坚决革命的阶级即无产阶级的最前列。同盟经受的另一重考验是,1847 年各次代表大会和中央委员会的通告以及《共产主义宣言》①中阐述的同盟关于运动的观点,都已被证明是唯一正确的观点,这些文件中的各种预见都已完全被证实,而以前同盟仅仅秘密宣传的关于当前社会状况的见解,现在人人都在谈论,甚至在大庭广众之中公开宣扬。

马克思和恩格斯:《共产主义者同盟中央委员会告同盟书。1850 年 3 月》,见《马克思恩格斯选集》第 3 版第 1 卷第 553 页

在今年 6 月 22 日贵报的一篇杂文里,您②指责我维护了**工人阶级的统治和专政**,而您和我相反,提出要**根本消灭阶级差别**。这个修正,使我莫名其妙。

您非常清楚,在《共产党宣言》(1848 年二月革命**3**之前发表)第 16 页上写道:"如果说无产阶级在反对资产阶级的斗争中一定要联合为阶级,通过革命使自己成为统治阶级,并以统治阶级的资格用暴力消灭旧的生产关系,那么它在消灭这种生产关系的同时,也就消灭了阶级对立的存在条件,消灭了阶级本身的存在条件,从而消灭了它自己这个阶级的统治的存在条件!"③

---

① 即《共产党宣言》。——编者注
② 《新德意志报》编辑奥·吕宁。——编者注
③ 参看本书第 50—51 页。马克思在引用的时候略有改动。——编者注

您知道,还在 1848 年 2 月之前,我在《哲学的贫困》①这本批驳蒲鲁东的书里就曾主张这样的观点。

最后,在您批评的那篇文章(《新莱茵报。政治经济评论》**86**第 3 期第 32 页)里我写道:"这种社会主义(即共产主义)就是宣布不断革命,就是无产阶级的阶级专政,这种专政是达到消灭一切阶级差别,达到消灭这些差别所由产生的一切生产关系,达到消灭和这些生产关系相适应的一切社会关系,达到改变由这些社会关系产生出来的一切观念的必然的过渡阶段。"②

马克思:《致〈新德意志报〉编辑的声明》,见《马克思恩格斯全集》中文第 2 版第 10 卷第 449—450 页

在我们当时从这方面或那方面向公众表达我们见解的各种著作中,我只提出恩格斯与我合著的《共产党宣言》和我自己发表的《关于自由贸易的演说》③。我们见解中有决定意义的论点,在我的 1847 年出版的为反对蒲鲁东而写的著作《哲学的贫困》④中第一次作了科学的、虽然只是论战性的概述。

马克思:《〈政治经济学批判〉序言》,见《马克思恩格斯选集》第 3 版第 2 卷第 4 页

"共产主义者同盟"²是 1836 年在巴黎成立的,最初用的是另

① 见《马克思恩格斯选集》第 3 版第 1 卷。——编者注
② 引自马克思《1848 年至 1850 年的法兰西阶级斗争》,参看《马克思恩格斯选集》第 3 版第 1 卷第 532 页。——编者注
③ 即马克思《关于自由贸易问题的演说》,见《马克思恩格斯选集》第 3 版第 1 卷。——编者注
④ 见《马克思恩格斯选集》第 3 版第 1 卷。——编者注

一个名称。它逐渐形成了这样一种机构：一定数目的成员组成一个"支部"，同一城市的各支部组成一个"区部"，数目多少不等的区部组成一个"总区部"；整个组织由"中央委员会"领导，中央委员会由所有区部的代表参加的大会选出，但它有权自行补充其委员，也有权在紧急情况下任命自己的临时继任者。中央委员会起初设在巴黎，从1840年到1848年初改设在伦敦。支部、区部的领导人和中央委员会的委员全是选举出来的。这种民主制度，固然完全不适用于一个策划阴谋的秘密团体，但至少同一个宣传协会的任务是不矛盾的。"同盟"的活动，首先是建立公开的德意志工人教育协会，这类协会至今还存在于瑞士、英国、比利时和美国，它们大部分是直接由"同盟"建立的，或者是由同盟以前的盟员创办的。因此，这类工人协会的组织到处都如出一辙。每星期当中规定一天讨论，一天社会娱乐（唱歌、朗诵等等）。到处都建立了协会的图书馆，而且，凡是有可能的地方，都开班给工人讲授基本知识。在这些公开的工人协会后面进行领导的"同盟"，既把协会用做公开宣传活动的极为方便的场所，另一方面，又从中吸收非常能干的成员来充实和发展自己。由于德国手工业者过着流动的生活，中央委员会只是在极个别的情况下才需要派遣特使。

至于"同盟"本身的秘密学说，它经历了法英两国的社会主义和共产主义以及它们的德国变种（例如魏特林的幻想²⁷）所经历过的各种变化。从布伦奇里的报告①中可以看出，自1839年以

---

① 约·卡·布伦奇里《瑞士的共产主义者。依据从魏特林那里发现的文件》1843年苏黎世版。——编者注

来,除了社会问题,宗教问题也起着极其重要的作用。德国哲学从1839年到1846年这一时期内所经历的各个不同阶段,都在这些工人团体内部受到了极其热心的关注。这个团体的秘密形式起源于巴黎。同盟的主要目的是在德国工人中间进行宣传,这种目的要求它在后来也保持这种形式。我第一次逗留巴黎期间,经常同那里的"同盟"领导人以及法国大多数工人秘密团体的领导人保持私人交往,但并没有加入其中任何一个团体。在布鲁塞尔(是基佐把我放逐到那里去的),我同恩格斯、威·沃尔弗等人成立了一个德意志工人教育协会**69**,该协会至今还存在。同时,我们还出版了一系列抨击性小册子,有的是铅印的,有的是石印的;我们在这些小册子里,对构成当时"同盟"的秘密学说的那种法英两国社会主义或共产主义同德国哲学的混合物进行了无情的批判;为了代替这种混合物,我们提出把对资产阶级社会经济结构的科学认识作为唯一牢靠的理论基础,最后并用通俗的形式说明:问题并不在于实现某种空想的体系,而在于要自觉地参加我们眼前发生的改造社会的历史过程。在我们的活动的影响下,伦敦中央委员会同我们建立了通讯联系,并在1846年年底派了一个中央委员、钟表匠**约瑟夫·莫尔**(他后来作为一个革命士兵在巴登战场上阵亡了)到布鲁塞尔来,邀请我们加入"同盟"。我们对这种建议存有疑虑,但是被莫尔打消了,因为他通知说,中央委员会准备在伦敦召开同盟代表大会,大会上,我们所坚持的各种批判的观点,将作为同盟的理论在正式宣言中提出来;他又说,为了同保守派和反对派作斗争,我们必须亲自参加大会,而这就要求我们加入"同盟"。于是,我们就加入了。代表大会举行了,参加大会的有来自瑞士、法国、比利时、德国和英国的同盟盟员,经过几个星期的激烈辩

附录　马克思恩格斯关于《共产党宣言》的重要论述摘编

论以后,通过了由恩格斯和我起草的《共产党宣言》,该宣言于1848年初问世,后来又出版了英文、法文、丹麦文和意大利文的译本。

马克思:《福格特先生》,见《马克思恩格斯全集》中文
第2版第19卷第135—137页

纲领①的第二点是共产主义。

这里我们到了一个熟悉得多的领域,因为在这里我们所乘的那只船就是1848年2月发表的《共产党宣言》。

恩格斯:《流亡者文献》,见《马克思恩格斯选集》第3
版第3卷第298页

同《共产主义宣言》②和先前的一切社会主义相反,拉萨尔从最狭隘的民族观点来理解工人运动。有人竟在这方面追随他,而且这是在国际进行活动以后!

不言而喻,为了能够进行斗争,工人阶级必须在国内**作为阶级**组织起来,而且它的直接的斗争舞台就是本国。所以,它的阶级斗争不就内容来说,而像《共产主义宣言》所指出的"就形式来说",是本国范围内的斗争。但是,"现代民族国家的范围",例如德意志帝国,本身又在经济上"处在世界市场的范围内",在政治上"处在国家体系的范围内"。任何一个商人都知道德国的贸易同时就是对外贸易,而俾斯麦先生的伟大恰好在于他实行一种**国际的**

---

① 指法国布朗基派流亡者团体"革命公社"1874年6月在伦敦发表的宣言《致公社社员》。——编者注

② 即《共产党宣言》。——编者注

· 121 ·

政策。

马克思:《哥达纲领批判》,见《马克思恩格斯选集》第
3 版第 3 卷第 367—368 页

在 1847 年召开的两次代表大会上,同盟进行了改组。第二次
代表大会决定委托马克思和恩格斯两人起草一篇宣言,把党的基
本原则规定下来并公布于世。《共产党宣言》就是这样产生的,它
在 1848 年二月革命**3**前不久第一次发表,后来被译成欧洲几乎所
有的文字。

恩格斯:《卡尔·马克思》,见《马克思恩格斯选集》第
3 版第 3 卷第 717 页

至于他们①的社会主义的内容,在《宣言》中《德国的或"真正
的"社会主义》②那一节里早已受到了充分的批判。在阶级斗争被
当做一种令人不快的"粗野的"现象放到一边去的地方,留下来充
当社会主义的基础的就只有"真正的博爱"和关于"正义"的空
话了。

在至今的统治阶级中也有人归附斗争着的无产阶级并且向它
输送教育因素,这是发展的过程所决定的不可避免的现象。这一
点我们在《宣言》中已经清楚地说明了。③ 但是这里应当指出两种
情况:

第一,要对无产阶级运动有益处,这些人必须带来真正的教育

---

① 指小资产阶级的代表。——编者注
② 见本书第 55—58 页。——编者注
③ 参看本书第 37—38 页。——编者注

因素。但是,参加运动的大多数德国资产者的情况却不是这样的。无论《未来》杂志[90]或《新社会》杂志[91],都没有带来任何能使运动前进一步的东西。这里绝对没有真正的实际教育材料或理论教育材料。相反,这里只有把领会得很肤浅的社会主义思想和这些先生们从大学或其他什么地方搬来的各种理论观点调和起来的尝试;这些观点一个比一个更糊涂,这是因为德国哲学的残余现在正处于腐朽的过程。他们中的每一个人都不是自己首先钻研新的科学,而宁可按照搬来的观点把这一新的科学裁剪得适合于自己,匆促地炮制自己的私人科学并且狂妄地立即想把它教给别人。所以,在这些先生当中,几乎是有多少脑袋就有多少观点。他们什么也没有弄清楚,只是造成了极度的混乱——幸而几乎仅仅是在他们自己当中。这些教育者的首要原则就是拿自己没有学会的东西教给别人。党完全可以不要这种教育者。

第二,如果其他阶级出身的这种人参加无产阶级运动,那么首先就要求他们不要把资产阶级、小资产阶级等等的偏见的任何残余带进来,而要无条件地掌握无产阶级世界观。可是,正像已经证明的那样,这些先生满脑子都是资产阶级的和小资产阶级的观念。在德国这样的小资产阶级国家中,这些观念无疑是有存在的理由的,然而这只能是在社会民主工党**以外**。如果这些先生组成社会民主小资产阶级党,那么这完全是顺理成章的。那时我们可以同他们进行谈判,视情况甚至可以结成联盟等等。但是在工人党中,他们是冒牌分子。如果有理由暂时还容忍他们,那么我们就应当**仅限于**容忍他们,而不要让他们影响党的领导,并且要清楚地知道,和他们分裂只是一个时间问题。而且这个时间看来是已经到了。党怎么能够再容忍这篇文章的作者们留在自己队伍中,这是我们完全不能理解的。但是,既然连党的领导也或多或少地落到了这些人的手中,那党简直就是受了阉割,而不再有无产阶级的锐气了。

马克思和恩格斯:《给奥·倍倍尔、威·李卜克内西、威·白拉克等人的通告信》,见《马克思恩格斯选集》第3版第3卷第738—739页

卡尔·马克思的《哲学的贫困》①是在1847年,即在蒲鲁东的《经济矛盾》(副标题为《贫困的哲学》)②一书出版后不久问世的。我们决定重新发表《哲学的贫困》(初版已售完),是因为该书包含了经过20年的研究之后,在《资本论》中阐发的理论的萌芽。所以,阅读《哲学的贫困》以及马克思和恩格斯于1848年发表的《共产党宣言》,可以作为研究《资本论》和现代其他社会主义者的著作的入门,因为像拉萨尔那样的现代社会主义者的思想,是从上述著作中吸取来的。

马克思:《关于〈哲学的贫困〉》,见《马克思恩格斯全集》中文第2版第25卷第425页

1847年,在伦敦秘密地召开了无产阶级的第一次国际性代表大会③,大会发表了《共产党宣言》,宣言结尾提出一个新的革命的口号:"全世界无产者,联合起来!"波兰有自己的代表出席这次代

---

① 见《马克思恩格斯选集》第3版第1卷。——编者注
② 皮·约·蒲鲁东《经济矛盾的体系,或贫困的哲学》1846年巴黎版第1—2卷。——编者注
③ 指1847年11月29日—12月8日共产主义者同盟第二次代表大会。——编者注

表大会。在布鲁塞尔召开的公众集会⁹²上,著名的列列韦尔和他的同志们表示赞同代表大会的决议。在 1848 年和 1849 年,德国、意大利、匈牙利、罗马尼亚的革命大军都有很多波兰人。他们无论是士兵还是将军,都表现得出类拔萃。尽管这一时期的社会主义理想被淹没在六月日子⁵的血泊中,然而 1848 年革命——决不可以忘记这一点——的熊熊火焰几乎燃遍了整个欧洲,有个时期曾把整个欧洲变成一个共同体,从而为国际工人协会¹⁴奠定了基础。

> 马克思和恩格斯:《致日内瓦 1830 年波兰革命 50 周年纪念大会》,见《马克思恩格斯全集》中文第 2 版第 25 卷第 445 页

马克思和我从 1845 年起就持有这样的观点:未来无产阶级革命的最终结果**之一**,将是称为**国家**的政治组织逐步解体直到最后消失。这个组织的主要目的,从来就是依靠武装力量保证富有的少数人对劳动者多数的经济压迫。随着富有的少数人的消失,武装压迫力量或国家权力的必要性也就消失。同时我们始终认为,为了达到未来社会革命的这一目的以及其他更重要得多的目的,工人阶级应当首先掌握有组织的国家政权并依靠这个政权镇压资本家阶级的反抗和按新的方式组织社会。这一点在 1847 年写的《共产主义宣言》^①的第二章末尾已经阐明。

无政府主义者把事情颠倒过来了。他们宣称,无产阶级革命应当从废除国家这种政治组织**开始**。但是,无产阶级在取得胜利以后遇到的唯一现成的组织正是国家。这个国家或许需要作一些

---

①　即《共产党宣言》。——编者注

改变,才能完成自己的新职能。但是在这种时刻破坏它,就是破坏胜利了的无产阶级能用来行使自己刚刚夺取的政权、镇压自己的资本家敌人和实行社会经济革命的唯一机构,而不进行这种革命,整个胜利最后就一定归于失败,工人就会大批遭到屠杀,巴黎公社[7]以后的情形就是这样。

恩格斯:1883 年 4 月 18 日致菲力浦·范派顿的信,见《马克思恩格斯选集》第 3 版第 4 卷第 558—559 页,并见恩格斯:《卡尔·马克思的逝世》,《马克思恩格斯全集》中文第 2 版第 25 卷第 609—610 页

当二月革命[3]爆发的时候,我们所称的德国"共产党"仅仅是一个人数不多的核心,即作为秘密宣传团体而组成的共产主义者同盟[2]。同盟之所以是秘密的,只是因为当时在德国没有结社和集会的权利。同盟除了得以从中吸收盟员的国外各工人协会之外,在本国大约有 30 个支部或小组,此外,在许多地方还有单个的盟员。但是,这个不大的战斗队,却拥有一个大家都乐于服从的、第一流的领袖**马克思**,并且赖有他才拥有一个至今还完全适用的原则性的和策略的纲领——《**共产主义宣言**》①。

这里应该谈到的首先是纲领的策略部分。这一部分一般地指出:

"共产党人不是同其他工人政党相对立的特殊政党。

他们没有任何同整个无产阶级的利益不同的利益。

他们不提出任何特殊的原则,用以塑造无产阶级的运动。

共产党人同其他无产阶级政党不同的地方只是:一方面,在无

---

① 即《共产党宣言》。——编者注

产者不同的民族的斗争中,共产党人强调和坚持整个无产阶级**共同的不分民族的利益**;另一方面,在无产阶级和资产阶级的斗争所经历的各个发展阶段上,共产党人始终代表**整个运动的利益**。

因此,**在实践方面**,共产党人是各国工人政党中最坚决的、始终起推动作用的部分;**在理论方面**,他们胜过其余无产阶级群众的地方在于他们了解无产阶级运动的条件、进程和一般结果。"①

而对于德国党,则特别指出:

"在德国,只要资产阶级采取革命的行动,共产党就同它一起去反对专制君主制、封建土地所有制和小资产阶级。

但是,共产党一分钟也不忽略教育工人尽可能明确地意识到资产阶级和无产阶级的敌对的对立,以便德国工人能够立刻利用资产阶级统治所必然带来的社会的和政治的条件作为反对资产阶级的武器,以便在推翻德国的反动阶级之后立即开始反对资产阶级本身的斗争。

共产党人把自己的主要注意力集中在德国,因为德国正处在资产阶级革命的前夜"等等(《宣言》第四章)②。

从来没有一个策略纲领像这个策略纲领那样得到了证实。它在革命前夜被提出后,就经受住了这次革命的检验;并且从那时起,任何一个工人政党每当背离这个策略纲领的时候,都因此而受到了惩罚。而现在,差不多过了 40 年以后,它已经成为欧洲——从马德里到彼得堡所有坚决而有觉悟的工人政党的准则。

恩格斯:《马克思和〈新莱茵报〉(1848—1849 年)》,
见《马克思恩格斯选集》第 3 版第 4 卷第 1—2 页

---

① 　见本书第 41 页。——编者注
② 　见本书第 65 页。——编者注

本书①所批判的杜林先生的"体系"涉及非常广泛的理论领域,这使我不能不跟着他到处跑,并以自己的见解去反驳他的见解。因此消极的批判成了积极的批判;论战转变成对马克思和我所主张的辩证方法和共产主义世界观的比较连贯的阐述,而这一阐述包括了相当多的领域。我们的这一世界观,首先在马克思的《哲学的贫困》②和《共产主义宣言》③中问世,经过足足20年的潜伏阶段,到《资本论》出版以后,就越来越迅速地为日益广泛的各界人士所接受。现在,它已远远越出欧洲的范围,在一切有无产者和无畏的科学理论家的国家里,都受到了重视和拥护。

恩格斯:《反杜林论》1885 年第二版序言,见《马克思恩格斯选集》第 3 版第 3 卷第 383 页

因此,我也认为"劳动骑士"[93]是运动中的一个极重要的因素,不应当从外面冷眼看待它,而要从内部使之革命化,而且我认为,那里的许多德国人犯了一个严重的错误,他们在面临一个强大而出色的、但不是由他们自己创造出来的运动时,竟企图把他们那一套从外国输入的、常常是没有弄懂的理论变成一种"唯一能救世的教条",并且同任何不接受这种教条的运动保持遥远的距离。我们的理论不是教条,而是对包含着一连串互相衔接的阶段的发展过程的阐明。希望美国人一开始行动就完全了解

---

① 指恩格斯《反杜林论》,见《马克思恩格斯选集》第 3 版第 3 卷。——编者注
② 见《马克思恩格斯选集》第 3 版第 1 卷。——编者注
③ 即《共产党宣言》。——编者注

在比较老的工业国家里制定出来的理论，那是可望而不可即的。德国人所应当做的事情是，根据自己的理论去行动——如果他们像我们在 1845 年和 1848 年那样懂得理论的话——，参加工人阶级的一切真正的普遍的运动，接受运动的实际出发点，并通过下列办法逐步地把运动提到理论高度：指出所犯的每一个错误、遭到的每一次失败都是原来纲领中的各种错误理论观点的必然结果。用《共产主义宣言》①里的话来说，就是他们应当在当前的运动中代表运动的未来。② 可是，首先要让运动有巩固自己的时间，不要硬把别人在开始时还不能正确了解、但很快就能学会的一些东西灌输给别人，从而使初期不可避免的混乱现象变本加厉。

恩格斯：1886 年 12 月 28 日致弗洛伦斯·凯利-威士涅威茨基的信，见《马克思恩格斯选集》第 3 版第 4 卷第 586—587 页

在罗曼语地区的工人中间，蒲鲁东的著作已经被遗忘而由《资本论》、《共产主义宣言》①以及马克思学派的其他许多著作代替了；马克思的主要要求——由上升到政治上独占统治地位的无产阶级以社会的名义占有全部生产资料——现在也成了罗曼语各国一切革命工人阶级的要求。

恩格斯：《论住宅问题》1887 年第二版序言，见《马克思恩格斯选集》第 3 版第 3 卷第 182 页

---

① 即《共产党宣言》。——编者注
② 参看本书第 64 页。——编者注

必须达到这种结果,即把各支独立的部队联成一支全国性的劳工大军,并有一个临时①纲领,哪怕有不足之处,只要是真正工人阶级的纲领就行,这就是在美国需要紧接着完成的重大步骤。为了达到这个目的和制定一个无愧于这个事业的纲领,社会主义工人党能够做许多事情,只要它愿意像欧洲的社会主义者在他们只占工人阶级极少数的时候那样行动就行。这个策略在1847年《共产党宣言》中第一次是用以下的话写下来的:

"共产党人"——这是我们当时采用的、而且在现在也决不想放弃的名称——,"共产党人不是同其他工人政党相对立的特殊政党。

他们没有任何同整个无产阶级的利益不同的利益。

他们不提出任何特殊的原则,用以塑造无产阶级的运动。

共产党人同其他无产阶级政党不同的地方只是:一方面,在无产者不同的民族的斗争中,共产党人强调和坚持整个无产阶级共同的不分民族的利益;另一方面,在无产阶级和资产阶级的斗争所经历的各个发展阶段上,共产党人始终代表整个运动的利益。

因此,在实践方面,共产党人是各国工人政党中最坚决的、始终起推动作用的部分;在理论方面,他们胜过其余无产阶级群众的地方在于他们了解无产阶级运动的条件、进程和一般结果。"

"共产党人为工人阶级的最近的目的和利益而斗争,但是他们在当前的运动中同时代表运动的未来。"②

----

① 《美国工人运动》是恩格斯为他的《英国工人阶级状况》一书美国版写的序言,原文为英文,后恩格斯将序言译为德文,以《美国工人运动》为题发表。这里在德文版中不是"临时",而是"共同"。——编者注

② 见本书第41、64页。——编者注

　　这就是现代社会主义的伟大创始人卡尔·马克思,还有我以及同我们一起工作的各国社会主义者 40 多年来所遵循的策略。结果是这个策略到处都把我们引向胜利,目前欧洲广大的社会主义者,在德国和法国,在比利时、荷兰和瑞士,在丹麦和瑞典,以及在西班牙和葡萄牙,就像一支统一的①军队在同一的旗帜下战斗着。

　　　　　　恩格斯:《美国工人运动》(《英国工人阶级状况》美
　　　　　　国版序言),见《马克思恩格斯选集》第 3 版第 4 卷第
　　　　　　277—278 页

　　无产阶级不通过暴力革命就不可能夺取自己的政治统治,即通往新社会的唯一大门,在这一点上,我们的意见是一致的。无产阶级要在决定关头强大到足以取得胜利,就必须(马克思和我从 1847 年以来就坚持这种立场)组成一个不同于其他所有政党并与它们对立的特殊政党,一个自觉的阶级政党。

　　可是,这并不是说,这一政党不能暂时利用其他政党来达到自己的目的。同样也不是说,它不能暂时支持其他政党去实施或是直接有利于无产阶级的、或是朝着经济发展或政治自由方向前进一步的措施。在德国谁真正为废除长子继承权和其他封建残余而斗争,为废除官僚制度和保护关税制度而斗争,为废除反社会党人法**94**和对集会结社权的限制而斗争,那我就会支持谁。如果我们德国的进步党**95**或者你们丹麦的农民党**96**是真正激进的资产阶级政党,而不仅仅是一些一受到俾斯麦或埃斯特鲁普的威胁就溜之大吉的可怜的说大话的英雄,那么,我决不会**无条件地**反对同他们

① 在德文版中"统一的"的后面加有"伟大的"。——编者注

一起采取任何暂时的共同行动,来达到特定的目的。当我们的议员投票赞成(他们不得不经常这样做)由另一方提出的建议时,这也就是一种共同行动。可是,我只是在下列情况下才赞成这样做:对我们的直接的好处或对国家朝着经济革命和政治革命的方向前进的历史发展的好处是无可争辩的、值得争取的。而所有这一切又必须以党的无产阶级性质不致因此发生问题为前提。对我来说,这是绝对的界限。您在1847年的《共产主义宣言》①中就可以看到对这种政策的阐述,我们在1848年,在国际中,到处都遵循了这种政策。

> 恩格斯:1889年12月18日致格尔松·特里尔的信,见《马克思恩格斯选集》第3版第4卷第592—593页

德国的社会主义在1848年以前很久就产生了。起初它有两个独立的派别。一方面是纯粹工人运动,即法国工人共产主义的支流;这个运动产生了作为它的发展阶段之一的魏特林的空想共产主义[27]。其次是由于黑格尔哲学的解体而产生的理论运动;在这一派中马克思的名字从一开始就占有统治地位。1848年1月出现的《共产主义宣言》①标志着两个派别的融合,这个融合是在革命熔炉中完成和巩固起来的,在这革命的熔炉中,他们所有的人,不论工人还是过去的哲学家,都经受住了考验②。

1849年欧洲革命失败后,德国的社会主义只能秘密地存在。

---

① 即《共产党宣言》。——编者注
② 《德国的社会主义》先由恩格斯用法文写成并发表,后由他本人译成德文发表。在法文原文中不是"都经受住了考验",而是"都做到了全力以赴"。——编者注

只是在 1862 年,马克思的学生拉萨尔才重新举起社会主义的旗帜。但是这已经不是《宣言》中的大无畏的社会主义了;拉萨尔为工人阶级利益所要求的一切,不过是由国家贷款成立生产合作社,这是在 1848 年以前追随马拉斯特的纯粹的共和派的①《国民报》的那一派⁹⁷巴黎工人的纲领的翻版,因此也就是**纯粹的共和派**针对路易·勃朗的《劳动组织》②而提出的纲领的翻版。正如我们看到的,拉萨尔的社会主义是非常温和的。但是,它在舞台上的出现却标志着德国社会主义发展第二阶段的起点。这是因为拉萨尔靠自己的天才、激情和无限充沛的精力,竟然把工人运动发动起来了,十年来德国无产阶级独自做出的一切③都同这个运动有肯定的或否定的、友好的或敌对的联系。

实际上,纯粹的拉萨尔主义本身能不能满足那个创作了《宣言》的民族的社会主义要求呢? 这是不可能的。因此,主要在李卜克内西和倍倍尔的努力下,很快就产生了一个公开宣布了 1848 年《宣言》原则的工人政党⁹⁸。接着,在拉萨尔死后三年,即在 1867 年,马克思的《资本论》问世了,从此道地的拉萨尔主义便开始衰落。《资本论》中所阐述的观点越来越成为德国全体社会主义者——拉萨尔派¹⁷也不例外——的共同财富。拉萨尔派整批整批地、接二连三地、大张旗鼓地转到④被称为爱森纳赫派⁹⁸的新党的队伍中来。这个党的人数不断增加;结果不久就弄到与拉萨尔

① 在法文原文中没有"纯粹的共和派的"这几个字。——编者注
② 路·勃朗《劳动组织》1841 年巴黎版。——编者注
③ 这句话在法文原文中不是"十年来德国无产阶级独自做出的一切",而是"十年来使德国无产阶级激动过的一切东西"。——编者注
④ 在法文原文中在"转到"的后面有"倍倍尔和李卜克内西的"这几个字。——编者注

派相互公开敌视的地步;而最尖锐的斗争——甚至使用棍棒——正好发生在斗争双方已经没有任何真正的争论点,双方在一切实质问题上的原则、论据、甚至斗争的手段都一致的时候。

恩格斯:《德国的社会主义》,见《马克思恩格斯文集》
第4卷第426—427页

毫无疑问,公社⁹⁹,在某种程度上还有劳动组合,都包含了某些萌芽,它们在一定条件下可以发展起来,使俄国不必经受资本主义制度的苦难。我完全同意我们的作者有关茹柯夫斯基的那封信①。但无论他还是我都认为,实现这一点的第一个条件,是**外部的推动**,即西欧经济制度的变革,资本主义在最先产生它的那些国家中被消灭。我们的作者在1882年1月给过去的一篇《宣言》②写的一篇序言中,对于俄国的公社能否成为更高级的社会发展的起点这个问题,是这样回答的:假如俄国经济制度的变革与西方经济制度的变革同时发生,"从而双方互相补充的话,那么现今的俄国土地占有制便能成为新的社会发展的起点"。**100**

恩格斯:1893年2月24日致尼古拉·弗兰策维奇·
丹尼尔逊的信,见《马克思恩格斯选集》第3版第4
卷第639—640页

我打算从马克思的著作中给您找出一则您所期望的题词。**101**我认为,马克思是当代唯一能够和那位伟大的佛罗伦萨人③相提

---

① 指马克思《给〈祖国纪事〉杂志编辑部的信》,见《马克思恩格斯选集》第3版第3卷。——编者注
② 指《共产党宣言》。——编者注
③ 但丁。——编者注

并论的社会主义者。但是,除了《共产主义宣言》①中的下面这句话(《社会评论》**102**杂志社出版的意大利文版②第 35 页),我再也找不出合适的了:"代替那存在着阶级和阶级对立的资产阶级旧社会的,将是这样一个联合体,在那里,每个人的自由发展是一切人的自由发展的条件。"③

要用几句话来概括未来新时代的精神,而又不堕入空想主义或者不流于空泛辞藻,几乎是不可能的。

因此,如果我向您提供的这段文字不能满足您所希望的一切条件,那就请您原谅。但是,由于您要在 21 日(这是个充满吉兆的日子,是路易·卡佩④公民被处死刑的日子)前做好准备,所以时间不能耽误。

恩格斯:1894 年 1 月 9 日致朱泽培·卡内帕的信,见
《马克思恩格斯选集》第 3 版第 4 卷第 647 页

自从 1848 年以来,时常为社会党人带来极大成就的策略就是**《共产主义宣言》**①的策略。"在无产阶级和资产阶级的斗争所经历的各个发展阶段上,社会党人⑤始终代表整个运动的利益…… 社会党人⑤为工人阶级的最近的目的和利益而斗争,但是他们在当前的运动中同时代表运动的未来。"⑥

社会党人总是积极参加无产阶级和资产阶级斗争经历的每个

---

① 即《共产党宣言》。——编者注
② 1893 年米兰版。——编者注
③ 见本书第 51 页。——编者注
④ 即法国国王路易十六,1793 年 1 月 21 日被处死。——编者注
⑤ 恩格斯在引证时把"共产党人"一词换成了"社会党人"。——编者注
⑥ 见本书第 41、64 页。——编者注

发展阶段,而且,一时一刻也不忘记,这些阶段只不过是达到首要的伟大目标的阶梯。这个目标就是:由无产阶级夺取政权作为改造社会的手段。他们的位置是在为每一个有利于工人阶级的直接利益而斗争的战士的行列中;但是,他们只是把所有这些政治的或经济的利益看做**分期偿付的债款**。因此他们把每一个进步的或者革命的运动看做是沿着自己道路上前进的一步;他们的特殊任务是推动其他革命政党前进,如果其中的某一个政党获得胜利,他们就要去捍卫无产阶级的利益。这种永远不忽视伟大目标的策略,能够防止社会党人产生失望情绪,而这种情绪却是其他缺少远大目光的政党——不论是纯粹的共和主义者或感情上的社会主义者——无法避免的,因为他们把前进中的一个普通阶段看做是最终目的。

> 恩格斯:《未来的意大利革命和社会党》,见《马克思恩格斯选集》第 3 版第 4 卷第 323—324 页

目前再版的这部著作①,是马克思用他的唯物主义观点从一定经济状况出发来说明一段现代历史的初次尝试。在《共产主义宣言》②中,用这个理论大略地说明了全部近代史;在马克思和我在《新莱茵报》**77**上发表的文章中,这个理论一直被用来解释当时发生的政治事件。可是,这里的问题是要把一个对全欧洲都很关键而又很典型的多年发展过程中的内在因果联系揭示出来,照作者看来,就是把政治事件归结为最终是经济原因的

---

① 指马克思《1848 年至 1850 年的法兰西阶级斗争》,见《马克思恩格斯选集》第 3 版第 1 卷。——编者注
② 即《共产党宣言》。——编者注

作用。

恩格斯:《卡·马克思〈1848 年至 1850 年的法兰西阶级斗争〉一书导言》,见《马克思恩格斯选集》第 3 版第 4 卷第 378 页

使本书①具有特别重大意义的是,在这里第一次提出了世界各国工人政党都一致用以扼要表述自己的经济改造要求的公式,即:生产资料归社会所有。在第二章中,讲到被称做"初次概述无产阶级各种革命要求的笨拙公式"的"劳动权"时说:"其实劳动权就是支配资本的权力,支配资本的权力就是**占有生产资料**,使生产资料受联合起来的工人阶级支配,也就是消灭雇佣劳动、资本及其相互间的关系。"②可见,这里第一次表述了一个使现代工人社会主义既与封建的、资产阶级的、小资产阶级的等形形色色的社会主义截然不同,又与空想的以及自发的工人共产主义所提出的模糊的财产公有截然不同的原理。如果说马克思后来把这个公式也扩大到占有交换手段上,那么这种扩大不过是从基本原理中得出的结论罢了,况且,按《共产主义宣言》③来看这种扩大是不言而喻的。

恩格斯:《卡·马克思〈1848 年至 1850 年的法兰西阶级斗争〉一书导言》,见《马克思恩格斯选集》第 3 版第 4 卷第 381 页

---

① 指马克思《1848 年至 1850 年的法兰西阶级斗争》,见《马克思恩格斯选集》第 3 版第 1 卷。——编者注
② 见《马克思恩格斯选集》第 3 版第 1 卷第 478—479 页。——编者注
③ 即《共产党宣言》。——编者注

共产主义者同盟章程[103]

全世界无产者,联合起来!

第一章 同 盟

第一条 同盟的目标是:推翻资产阶级,建立无产阶级统治,消灭以阶级对立为基础的资产阶级旧社会,建立没有阶级、没有私有制的新社会。

第二条 盟员的条件:

(1)生活方式和活动必须符合同盟的上述目标;

(2)具有革命毅力和宣传热情;

(3)承认共产主义;

(4)不得参加任何反共产主义的政治团体或民族团体,并且应向上级机关报告参加任何一个团体的情况;

(5)服从同盟的一切决议;

(6)保守同盟一切事务的秘密;

(7)必须获得一致通过,才能被接收入某一支部。

凡不符合上述条件者应予开除(见第八章)。

第三条 所有盟员一律平等,他们都是兄弟,因而有义务在一切场合互相帮助。

第四条 盟员皆有盟内化名。

第五条 同盟的组织是:支部、区部、总区部、中央委员会和代表大会。

第二章 支 部

第六条 支部至少由三人、至多由二十人组成。

第七条 每个支部选举主席和副主席各一人。主席主持各种会议,副主席管理出纳,主席缺席时由副主席代理主席职务。

第八条 接收新盟员须经支部事先同意,由支部主席和充当介绍人的盟员办理。

第九条 各种支部彼此不得相识或保持任何联系。

第十条 各支部均须有特别名称。

第十一条 任何一个盟员迁居时均须事先报告本支部的主席。

第三章 区 部

第十二条 区部至少由两个支部、至多由十个支部组成。

第十三条 这些支部的主席和副主席组成区部委员会。区部委员会从委员中选出主席。区部委员会同本区各支部和总区部保持联系。

第十四条　区部委员会是本区各支部的权力执行机关。

第十五条　各单独存在的支部须加入已有的区部,或同其他单个的支部成立新的区部。

第四章　总　区　部

第十六条　一国或一省内的各区部隶属于一个总区部。

第十七条　由代表大会根据中央委员会的建议按省划分同盟各区部和任命总区部。

第十八条　总区部是本省所有区部的权力执行机关。它同各区部和中央委员会保持联系。

第十九条　新建立的区部加入邻近的总区部。

第二十条　总区部有责任向中央委员会作临时性工作报告,最终则应向代表大会作工作报告。

第五章　中央委员会

第二十一条　中央委员会是全盟的权力执行机关,因而有责任向代表大会报告工作。

第二十二条　中央委员会的成员不少于五人,由代表大会指定为中央委员会所在地的区部委员会选出。

第二十三条　中央委员会同各总区部保持联系,每三个月作一次关于全盟情况的报告。

第六章　一般规定

第二十四条　支部、区部委员会以及中央委员会至少每两周开会一次。

第二十五条　区部委员会和中央委员会的委员每年改选一次，可以连选连任，选举人可以随时罢免他们。

第二十六条　每年9月进行选举。

第二十七条　区部委员会必须根据同盟的目标对各支部的讨论加以引导。

如中央委员会认为某些问题的讨论具有普遍的和直接的利害关系，可以提交全盟讨论。

第二十八条　单个盟员至少每三个月同所属区部委员会联系一次，单个支部至少每月同所属区部委员会联系一次。

每个区部至少每两个月向总区部报告一次本地区的情况，每个总区部至少每三个月向中央委员会报告一次本地区的情况。

第二十九条　同盟各级机关均有义务为保证同盟的安全和影响力而在其职责之内根据章程的规定采取相应措施，并立即把这些措施通报上级机关。

第七章　代表大会

第三十条　代表大会是全盟的立法机关。关于修改章程的一切提案均经总区部转交中央委员会,再由中央委员会提交代表大会。

第三十一条　每个区部都应派遣代表。

第三十二条　盟员少于三十人的区部派代表一名,少于六十人的区部派两名,少于九十人的区部派三名,以此类推。各区部可以委托不属于本地区的盟员为自己的代表。

但在这种情况下,该区部须授予自己的代表以详细的委托书。

第三十三条　代表大会于每年 8 月举行。遇紧急情况中央委员会可以召集非常代表大会。

第三十四条　每届代表大会指定未来一年里中央委员会所在地,同时指定下届代表大会的开会地点。

第三十五条　中央委员会出席代表大会,但无表决权。

第三十六条　代表大会于每次会议后除发通告信件外,还可以代表全党发表宣言。

第八章　反盟罪行

第三十七条　凡不遵守盟员条件者(见第二条),视情节轻重或令其离盟或开除出盟。

凡开除出盟者不得再接收入盟。

第三十八条　开除盟籍的问题只能由代表大会决定。

第三十九条　区部或单独存在的支部可令单个盟员离盟,但必须立即报告上级机关备案。代表大会对此同样具有最终决定权。

第四十条　被令离盟的盟员重新入盟问题,须由中央委员会根据区部的提议处理。

第四十一条　反盟的罪行由区部委员会审理；区部委员会还应督促判决的执行。

第四十二条　为了同盟的利益必须对被令离盟者、被开除盟籍者和一切可疑者加以监视，使他们不能为害。有关这些人的阴谋活动必须立即通知有关支部。

第九章　同盟的经费

第四十三条　代表大会为每个国家规定每一盟员应缴纳的最低盟费。

第四十四条　盟费半数上缴中央委员会，半数由区部或支部留用。

第四十五条　中央委员会的经费用作下列各项支出：

（一）联络费用和管理费用。

（二）印发传单。

（三）中央委员会因执行某种任务所派代表的一切费用。

第四十六条　地方委员会的经费用作下列各项支出：

（一）联络费用。

（二）印发传单。

（三）在必要时派遣代表的一切费用。

第四十七条　凡支部和区部六个月不向中央委员会交盟费，中央委员会即令其离盟。

第四十八条　区部委员会最长不超过三个月须向所属各支部

报告一次收支情况。中央委员会向代表大会报告同盟的经费管理情况和同盟的收支情况。任何贪污同盟经费的行为都要受到最严厉的惩罚。

第四十九条　特别费用和召开代表大会的费用由特殊收入开支。

第十章　接收盟员

第五十条　支部主席向将要被接收入盟者宣读和说明章程的第一条到第四十九条,并在简短的讲话中特别强调入盟者应尽的义务,然后向他发问:"现在,你愿意加入这个同盟吗?"如果后者回答:"愿意!",那么主席就要求他保证尽盟员的一切义务,然后宣布他为盟员并在下一次会议上将他介绍给支部。

1847 年 12 月 8 日于伦敦

受 1847 年秋召开的第二次代表大会委托。

秘书　　　　　　　主席

签名:恩格斯　　　签名:卡尔·沙佩尔

载于维尔穆特和施梯伯《19 世纪共产主义者的阴谋》1853 年柏林版上册附录

原文是德文

选自《马克思恩格斯全集》中文第 1 版第 4 卷第 572 — 577 页,根据《马克思恩格斯全集》1959 年德文版第 4 卷校订

注　　释

1 《1872年德文版序言》是马克思和恩格斯为《共产党宣言》新的德文版合写的第一篇序言。马克思和恩格斯在序言中明确指出,"不管最近25年来的情况发生了多大的变化,这个《宣言》中所阐述的一般原理整个说来直到现在还是完全正确的";同时又强调,这些原理的实际运用,"随时随地都要以当时的历史条件为转移"(见本书第3页)。他们还谈到,由于情况的变化,由于有了法国二月革命特别是巴黎公社的实际经验,《宣言》的某些地方本来可以作一些修改,但考虑到《宣言》是一个历史文件,所以对内容未作修改。

《共产党宣言》新的德文版由《人民国家报》编辑部倡议,于1872年在莱比锡出版。这一版只对个别用词作了改动。——3。

2 共产主义者同盟是历史上第一个以科学社会主义为指导的无产阶级政党,1847年在伦敦成立。共产主义者同盟的前身是1836年成立的正义者同盟(见注57),这是一个主要由德国工人和手工业者组成的德国政治流亡者秘密革命组织,后期也有其他国家的人参加。随着形势的发展,正义者同盟的领导成员逐步认识到必须使同盟摆脱旧的密谋传统和方式,并且确信马克思和恩格斯的理论是正确的,遂于1847年邀请马克思和恩格斯参加正义者同盟,协助同盟改组。1847年6月,正义者同盟在伦敦召开代表大会,恩格斯出席了大会,按照他的倡议,同盟的名称改为共产主义者同盟,因此这次大会也是共产主义者同盟的第一次代表大会。大会批准了同盟的章程草案(见《马克思恩格斯全集》中文第1版第42卷第419—423页),并用"全世界无产者,联合起来!"的战斗口号取代了正义者同盟原来的"人人皆兄弟"的口号。同年11月

29 日—12 月 8 日,同盟召开第二次代表大会,马克思和恩格斯出席了大会。大会通过了同盟的章程(见本书),并委托马克思和恩格斯起草同盟的纲领,这就是 1848 年 2 月问世的《共产党宣言》。

1848 年 2 月法国爆发革命,在伦敦的同盟中央委员会于 1848 年 2 月底把同盟的领导权移交给了以马克思为首的布鲁塞尔区部委员会。3 月初,马克思被驱逐出布鲁塞尔并迁居巴黎。同盟在巴黎成立新的中央委员会,马克思当选为中央委员会主席,恩格斯当选为中央委员。

1848 年 3 月下半月至 4 月初,马克思、恩格斯和数百名德国工人(他们多半是共产主义者同盟盟员)回国参加已经爆发的德国革命。马克思和恩格斯在 3 月底写成的《共产党在德国的要求》(见《马克思恩格斯全集》中文第 1 版第 5 卷;参看本书第 106—107 页)是共产主义者同盟在这次革命中的政治纲领。同年 6 月,马克思和恩格斯创办了《新莱茵报》(见注 77),该报成为革命的指导中心。

欧洲 1848—1849 年革命失败后,共产主义者同盟进行了改组并继续开展活动。1850 年夏,同盟中央委员会内部在斗争策略问题上发生严重分歧。以马克思和恩格斯为首的中央委员会多数派坚决反对维利希—沙佩尔集团提出的宗派主义、冒险主义的策略,反对该集团无视革命发展的客观规律和欧洲现实政治形势而主张立即发动革命。1850 年 9 月中,维利希—沙佩尔集团的分裂活动最终导致同盟与该集团决裂。1851 年 5 月,由于警察的迫害和大批盟员被捕,共产主义者同盟在德国的活动实际上已陷于停顿。1852 年 11 月 17 日,科隆共产党人案件(见注 13)宣判后不久,同盟根据马克思的建议宣告解散。

共产主义者同盟在国际工人运动史上起了巨大的作用,它是培养无产阶级革命家的学校,很多共产主义者同盟盟员后来都积极参加了国际工人协会(见注 14)的活动。——3、9、94、105、117、118、126。

3 二月革命指 1848 年 2 月爆发的法国资产阶级民主革命。代表金融资产阶级利益的"七月王朝"推行极端反动的政策,反对任何政治改革和经济改革,阻碍资本主义发展,加剧对无产阶级和农民的剥削,引起全国人民的不满;农业歉收和经济危机进一步加深了国内矛盾。1848 年 2 月 22—24 日巴黎爆发革命,推翻了"七月王朝",建立了资产阶级共和派的临时政府,宣布成立了法兰西第二共和国。法国二月革命在欧洲

1848—1849 年革命中具有重要影响。无产阶级和小资产阶级积极参加了这次革命,但革命果实却落到了资产阶级手里。——3、9、18、102、117、122、126。

4 《红色共和党人》(The Red Republican)是英国的一家周刊,宪章派左翼的机关报,1850 年 6 —11 月在伦敦出版,主编是乔·朱·哈尼。——3、9。

5 指 1848 年 6 月巴黎无产阶级的起义。二月革命后,无产阶级要求把革命推向前进,资产阶级共和派政府推行反对无产阶级的政策,6 月 22 日颁布了封闭"国家工场"的挑衅性法令,激起巴黎工人的强烈反抗。6 月 23—26 日,巴黎工人举行了大规模武装起义。6 月 25 日,镇压起义的让·巴·菲·布雷亚将军在枫丹白露哨兵站被起义者打死,两名起义者后来被判处死刑。经过四天英勇斗争,起义被资产阶级共和派政府残酷镇压下去。马克思论述这次起义时指出:"这是分裂现代社会的两个阶级之间的第一次大规模的战斗。这是保存还是消灭资产阶级制度的斗争。"(见《马克思恩格斯选集》第 3 版第 1 卷第 467 页)——3、9、18、125。

6 《社会主义者报》(Le Socialiste)是美国的一家法文日报,1871 年 10 月—1873 年 5 月在纽约出版,国际法国人支部的机关报;海牙代表大会(1872 年 9 月 2—7 日)以后与国际断绝了关系。1872 年 1—2 月该报曾发表《共产党宣言》。——3、11。

7 巴黎公社是 1871 年法国无产阶级在巴黎建立的人类历史上第一个无产阶级政权。1871 年 3 月 18 日,巴黎无产者举行武装起义,夺取了政权;28 日巴黎公社宣告成立。公社打碎了资产阶级国家机器,废除常备军代之以人民武装,废除官僚制度代之以民主选举产生的、对选民负责的、受群众监督的公职人员。公社没收逃亡资本家的企业交给工人管理,并颁布一系列保护劳动者利益的法令。5 月 28 日,巴黎公社在国内外反动势力的打击下遭到失败,总共只存在了 72 天。——4、13、126。

8 《1882 年俄文版序言》是马克思和恩格斯为《共产党宣言》的第二个俄译本合写的序言。该译本由格·普列汉诺夫翻译。马克思和恩格斯在序言中强调:"《共产主义宣言》的任务,是宣告现代资产阶级所有制必然灭亡。"(见本书第6页)他们通过对俄美两国资本主义发展进程的分析,论证了自《共产党宣言》发表以来无产阶级运动不断扩大的趋势,指出俄国已经从欧洲全部反动势力的最后一支庞大后备军变成了欧洲革命运动的先进部队,并对当时俄国农村公社土地公有制的前途提出这样的设想:"假如俄国革命将成为西方无产阶级革命的信号而双方互相补充的话,那么现今的俄国土地公有制便能成为共产主义发展的起点。"(见本书第6页)

　　这篇序言最初于1882年2月5日在俄国民意党人的《民意》杂志第8—9期用俄译文发表。附有这篇序言的《共产党宣言》俄文版单行本于1882年在日内瓦作为《俄国社会革命丛书》之一出版。1882年4月,德国社会民主党中央机关报《社会民主党人报》准备发表这篇序言,因找不到德文原稿,只好请帕·波·阿克雪里罗得将俄译文再转译成德文,于1882年4月13日发表在《社会民主党人报》第16号。恩格斯在《共产党宣言》1890年德文版序言中,全文引用了他本人由俄文转译成德文的这篇序言,个别地方与德文原稿略有差别。直到20世纪30年代,这篇序言的德文手稿才被重新发现。1939年莫斯科外国文书籍出版局出版的德文版《共产党宣言》首次按德文原文发表了这篇序言,本书刊出的序言就是据此翻译的。——5。

9　《钟声》(Колокол)是俄国革命民主主义的报纸,1857—1865年由亚·伊·赫尔岑和尼·普·奥格辽夫用俄文在伦敦不定期出版,1865—1867年在日内瓦出版,1868—1869年改用法文出版,同时出版俄文版附刊。——5、11、15。

10　1881年3月13日民意党人刺杀沙皇亚历山大二世以后,亚历山大三世因害怕民意党人采取新的恐怖行动,终日藏匿在彼得堡附近的加特契纳行宫内,因而被人们戏谑地称为"加特契纳的俘虏"。——6、16。

11　《1883年德文版序言》是恩格斯为1883年在霍廷根—苏黎世出版的《共产党宣言》第三个德文版写的序言,该版本是马克思逝世后经恩格斯同意出版的第一个德文本。序言明确表述了贯穿《宣言》的基本思想:"每一历史时代的经济生产以及必然由此产生的社会结构,是该时代政治的和精神的历史的基础;因此(从原始土地公有制解体以来)全部历史都是阶级斗争的历史,即社会发展各个阶段上被剥削阶级和剥削阶级之间、被统治阶级和统治阶级之间斗争的历史;而这个斗争现在已经达到这样一个阶段,即被剥削被压迫的阶级(无产阶级),如果不同时使整个社会永远摆脱剥削、压迫和阶级斗争,就不再能使自己从剥削它压迫它的那个阶级(资产阶级)下解放出来。"(见本书第7页)恩格斯的这一表述,概括了唯物史观的主要内容。——7。

12　《1888年英文版序言》是恩格斯为1888年在伦敦出版的英文版《共产党宣言》写的序言。该版本由赛·穆尔翻译,恩格斯亲自校订并加了一些注释。恩格斯在序言中回顾了国际工人运动的历史和《宣言》在各国的传播史,指出:"《宣言》的历史在很大程度上反映着现代工人阶级运动的历史;现在,它无疑是全部社会主义文献中传播最广和最具有国际性的著作,是从西伯利亚到加利福尼亚的千百万工人公认的共同纲领。"(见本书第11页)恩格斯重申了1883年德文版序言所表述的《宣言》的基本思想,并强调"这一思想对历史学必定会起到像达尔文学说对生物学所起的那样的作用"(见本书第13页)。他还引录了1872年德文版序言的主要内容。——9。

13　科隆共产党人案件(1852年10月4日—11月12日)是普鲁士政府策动的一次挑衅性案件。共产主义者同盟(见注2)的11名成员被送交法庭审判,其罪名是"进行叛国性密谋"。被指控的证据是普鲁士警探们假造的中央委员会会议《原本记录》和其他一些伪造文件,以及警察局从已被开除出共产主义者同盟的维利希—沙佩尔冒险主义宗派集团那里窃得的一些文件。法庭根据伪造文件和虚假证词,判处七名被告三年至六年徒刑。马克思和恩格斯对这一案件的策动者的挑衅行为和普鲁士警察国家对付国际工人运动的卑鄙手段进行了彻底的揭露(参看马克思《揭露科隆共产党人案件》和恩格斯《最近的科隆案件》,《马克思恩格斯全集》中文第2版第11卷)。——10、18、94、114。

14　国际工人协会简称国际,后通称第一国际,是无产阶级第一个国际性的革命联合组织,1864年9月28日在伦敦成立。马克思参与了国际工人协会的创建,是它的实际领袖,恩格斯参加了国际后期的领导工作。在马克思和恩格斯的指导下,国际工人协会领导了各国工人的经济斗争和政治斗争,积极支持了被压迫民族的解放运动,坚决地揭露和批判了蒲鲁东主义、巴枯宁主义、拉萨尔主义、工联主义等错误思潮,促进了各国工人的国际团结。国际工人协会在 1872 年海牙代表大会以后实际上已停止了活动,1876 年 7 月 15 日正式宣布解散。国际工人协会的历史意义在于它"奠定了工人国际组织的基础,使工人做好向资本进行革命进攻的准备"(见《列宁选集》第 3 版修订版第 3 卷第 790 页)。——10、18、94、115、125。

15　英国工联即英国工会。1824 年英国工人获得了自由结社的权利,工联遂在英国普遍建立起来。工联是按行业组织的,加入工联的人必须是满师的技术工人,须缴纳很高的会费;工联设有全国性的领导机关;工联的任务是维护本行业熟练工人的经济利益。工联的机会主义领袖把无产阶级的斗争局限于经济斗争,鼓吹阶级调和。许多工联组织曾经加入国际。马克思和恩格斯从国际成立时起,就同工联领导人的机会主义,即工联主义进行了坚决的斗争。——10、18。

16　蒲鲁东派是法国小资产阶级社会主义者、无政府主义者蒲鲁东的信徒。蒲鲁东派从小资产阶级立场出发批判资本主义,幻想使小私有制万古长存;主张建立"交换银行"和发放无息贷款,以维护小生产者的私有制;宣传用改良的办法消除资本主义"坏的"方面,保留资本主义"好的"方面;反对无产阶级进行暴力革命和政治斗争,主张取消任何政府和国家。马克思和恩格斯在国际工人协会中对蒲鲁东派的机会主义路线进行了坚决的斗争。——10、18。

17　拉萨尔派是 19 世纪 60—70 年代德国工人运动中的机会主义派别,斐·拉萨尔的信徒,主要代表人物是约·巴·冯·施韦泽、威·哈森克莱维尔、威·哈赛尔曼等。该派的组织是 1863 年 5 月由拉萨尔创立的"全德工人联合会"。拉萨尔派反对暴力革命,认为只要进行议会斗争,争取普选权,就可以把普鲁士君主国家变为"自由的人民国家";主张在国家帮助下建立生产合作社,把资本主义和平地改造为社会主义;支持普鲁士政府通过王朝战争自上而下地统一德国的政策。马克思和恩格斯同拉萨尔派的机会主义路线进行了坚决的斗争。

1875 年拉萨尔派与爱森纳赫派(参看注 98)合并为德国社会主义工人党。——10、18、133。

18 1887 年 9 月 5—12 日在英国斯旺西举行了工联年度代表大会,即斯旺西代表大会。这次代表大会通过了建立单独的工人政党等项决议。恩格斯提到的这句话引自斯旺西工联理事会主席比万在大会上的发言,比万担任这次代表大会的主席。这篇发言载于 1887 年 9 月 17 日伦敦《公益》周刊。——10、19。

19 《伍德赫尔和克拉夫林周刊》(Woodhull & Claflin's Weekly)是美国的一家周刊,1870—1876 年由资产阶级女权主义者维·伍德赫尔和田·克拉夫林在纽约出版。——11。

20 《共产党宣言》第二个俄文本的译者不是维·查苏利奇,而是格·瓦·普列汉诺夫。恩格斯于 1894 年曾在《〈论俄国的社会问题〉跋》中指出,《宣言》的第二个俄文本是普列汉诺夫翻译的(见《马克思恩格斯选集》第 3 版第 4 卷第 313—314 页)。——11、15。

21 这里提到的《共产党宣言》丹麦文译本(1885 年哥本哈根版)删去了一些重要的地方,因而不够完备;有些译文也不太确切。恩格斯在《宣言》1890 年德文版序言中指出了这一点(见本书第 17 页)。——11。

22 劳·拉法格翻译的《共产党宣言》法文译本刊登在 1885 年 8 月 29 日—11 月 7 日的《社会主义者报》上,以后又作为附录收入 1886 年在巴黎出版的梅尔麦著的《社会主义法国》。

　　《社会主义者报》(Le Socialiste)是法国的一家周报,1885 年由茹·盖得在巴黎创办,1902 年以前是工人党的机关报,后来是法国社会党机关报;19 世纪 80—90 年代恩格斯曾为该报撰稿。——11、17。

23 《共产党宣言》西班牙文译本发表在 1886 年 7—8 月的《社会主义者报》上,并出版过单行本。

　　《社会主义者报》(El Socialista)是西班牙的一家周报,西班牙社会主义工人党的中央机关报,从 1885 年起在马德里出版。——11、17。

24 欧文派指英国空想社会主义者罗·欧文的拥护者。欧文认为,人是环境的产物,只有实现社会主义才能克服社会的一切罪恶。他曾在美国试办共产主义移民区,实行集体劳动和生产资料公有,最后宣告失败。欧文反对宪章运动,不主张工人开展政治斗争。认为靠知识的传播可以消除社会弊病,解决社会矛盾,并把希望寄托在统治者身上。——11、19、63。

25 傅立叶派指法国空想社会主义者沙·傅立叶的拥护者。傅立叶认为,现存制度应当由理想的和谐制度所取代。在这种和谐制度下,社会的基层单位是工农结合与城乡结合的生产消费协作社法郎吉(Phalange)。在法郎吉中,人人参加劳动,劳动者和资本家都可以入股,产品按资本、劳动和才能进行分配。协作社成员居住和劳动的场所称做法伦斯泰尔(Phalanstère)。傅立叶派在法国和美国都曾进行过法郎吉移民区实验,这些实验均以失败告终。——11、19、63。

26 埃·卡贝是法国空想共产主义者。他认为人类的不平等是违反自然规律的,人类最严重的错误是建立私有制。他揭露了资本主义的罪恶,主张废除私有制,建立公有制,实现人人平等和幸福的社会。但是,他反对暴力革命,主张通过和平宣传来改造资本主义社会。卡贝在1840年发表的《伊加利亚旅行记》中描绘了他的理想社会。——12、19。

27 威·魏特林是德国早期工人运动活动家,空想共产主义者。魏特林在1842年出版了《和谐与自由的保证》一书,抨击资本主义社会,提出了他的空想共产主义计划。他认为,理想的社会是和谐与自由的社会,在这个社会中,人人从事劳动,产品平均分配;他承认使用暴力实现社会革命的必要性。魏特林的学说是一种粗陋的平均共产主义的理论,在早期德国工人运动中起过一定的积极作用,但后来成为工人运动发展的障碍。——12、19、97、119、132。

28 关于"工人的解放应当是工人阶级自己的事情"这一思想,马克思和恩格斯在19世纪40年代以后的一系列著作中都表述过。这一思想在《国际工人协会共同章程》中是这样表述的:"工人阶级的解放应该由工人阶级自己去争取"(见《马克思恩格斯选集》第3版第3卷第171页)。——12、20。

29　《1890年德文版序言》是恩格斯为1890年在伦敦作为《社会民主主义丛书》之一出版的德文版《共产党宣言》写的序言。该版本是经恩格斯同意出版的《宣言》第四个德文本。它除了发表恩格斯的新序言外，还收入了1872年和1883年德文版序言。1890年11月28日《工人报》第48号在庆祝恩格斯七十寿辰的社论中也摘要刊登了这篇新序言。恩格斯在序言中再次回顾了国际工人运动的历史和《宣言》在各国的传播史，不仅全文引录了1882年俄文版序言，而且援引了1888年英文版序言的主要内容。——15。

30　《共产党宣言》1882年俄文版序言的德文原稿后来找到了。恩格斯在这里引用的序言是他亲自从俄文翻译成德文的，个别地方同德文原稿有细微差别。参看注8。——15。

31　日内瓦代表大会是国际工人协会于1866年9月3—8日在瑞士日内瓦举行的第一次代表大会。出席大会的有中央委员会，协会各支部以及英、法、德和瑞士的工人团体等的60名代表。大会批准了协会的章程和条例。由马克思执笔的《给临时中央委员会代表的关于若干问题的指示》（见《马克思恩格斯全集》中文第2版第21卷）作为中央委员会的正式报告提交大会讨论。参加大会的蒲鲁东主义者对《指示》几乎逐点加以反对。经过辩论，中央委员会的拥护者取得了胜利。《指示》九项内容中有六项作为大会决议通过，其中之一是要求法律规定八小时工作日，并把这一要求作为全世界工人阶级共同行动的纲领。

　　巴黎工人代表大会是1889年7月14—20日在巴黎举行的国际社会主义工人代表大会，这次大会实际上是第二国际的成立大会。出席大会的有来自欧美22个国家和地区的393名代表。大会主席是前巴黎公社委员爱·瓦扬和德国社会民主党领导人威·李卜克内西。这次大会听取了各社会主义政党代表关于本国工人运动的报告并通过了一些重要决议，要求在法律上规定八小时工作日，规定五月一日为全世界无产阶级团结战斗的节日。——20。

32　《1892年波兰文版序言》是恩格斯为1892年由波兰社会党人的《黎明》杂志出版社在伦敦出版的波兰文版《共产党宣言》写的序言。恩格斯在序言中指出："近来《宣言》在某种程度上已经成为测量欧洲大陆大工业发展的一种尺度。某一国家的大工业越发展,该国工人想要弄清他们作为工人阶级在有产阶级面前所处地位的愿望也就越强烈,工人中间的社会主义运动也就越扩大,对《宣言》的需求也就越增长。"(见本书第21页)他还指出,波兰的独立只有年轻的波兰无产阶级才能争得,而欧洲其余国家的工人也像波兰工人一样需要波兰的独立和复兴,因为"欧洲各民族的真诚的国际合作,只有当每个民族自己完全当家作主的时候才能实现"(见本书第22页)。这篇序言发表于1892年2月27日《黎明》杂志第35期。——21。

33　会议桌上的波兰指沙皇俄国根据1814—1815年维也纳会议的决定所吞并的波兰领土。维也纳会议后,波兰再度被俄、普、奥三国瓜分,沙皇俄国吞并了大部分波兰国土,成立了波兰王国,由沙皇亚历山大一世兼任国王。会议桌上的波兰或俄罗斯的波兰,即指这部分波兰领土。——21。

34　马克思在其他著作里,例如在《1859年的爱尔福特精神》(见《马克思恩格斯全集》中文第1版第13卷)一文中阐述过这样的思想:反动派在1848年以后扮演了特殊的革命遗嘱执行人的角色,不可避免地实现了革命的要求,尽管这是在一种滑稽可笑的歪曲的方式下进行的。——22、23。

35　《1893年意大利文版序言》是恩格斯应意大利社会党领袖菲·屠拉梯的请求,用法文为1893年意大利文版《共产党宣言》写的序言。该版本由蓬·贝蒂尼翻译,序言由屠拉梯翻译,于1893年由社会党理论刊物《社会评论》杂志社在米兰出版。恩格斯在序言中回顾了1848年革命以来的历史进程,特别是意大利、德国、匈牙利等民族取得统一和独立的进程,指出:"1848年革命虽然不是社会主义革命,但它毕竟为社会主义革命扫清了道路,为这个革命准备了基础。最近45年来,资产阶级制度在各国引起了大工业的飞速发展,同时造成了人数众多的、紧密团结的、强大的无产阶级;这样它就产生了——正如《宣言》所说——它自身的掘墓人。不恢复每个民族的独立和统一,那就既不可能有无产阶级的国际联合,也不可能有各民族为达到共同目的而必须实行的和睦的与自觉的合作。"(见本书第24页)——23。

36 1848年3月18日米兰人民举行了反对奥地利统治的武装起义,赶走了奥地利军队,成立了资产阶级自由派和民主派领导的临时政府,推动了意大利其他各地的革命。

同一天,柏林人民也发动了武装起义,迫使国王宣布立即召开国民议会,制定宪法,撤出城内驻军,改组政府。——23。

37 民族大迁徙指公元3—7世纪日耳曼、斯拉夫及其他部落向罗马帝国的大规模迁徙。4世纪上半叶,日耳曼部落中的西哥特人因遭到匈奴人的进攻侵入罗马帝国。经过长期的战争,西哥特人于5世纪在西罗马帝国境内定居下来,建立了自己的国家。日耳曼人的其他部落也相继在欧洲和北非建立了独立的国家。民族大迁徙对摧毁罗马帝国的奴隶制度和推动西欧封建制度的产生起了重要的作用。——30。

38 十字军征讨指11—13世纪西欧天主教会、封建主和大商人打着从伊斯兰教徒手中解放圣地耶路撒冷的宗教旗帜,主要对东地中海沿岸伊斯兰教国家发动的侵略战争。因参加者的衣服上缝有红十字,故称"十字军"。十字军征讨前后共八次,历时近200年,最后以失败而告终。十字军征讨给东方国家的人民带来了深重的灾难,也使西欧国家的人民遭受惨重的牺牲,但是,它在客观上也对东西方的经济和文化交流起到了一定的促进作用。——30。

39 马克思和恩格斯在19世纪40—50年代,即马克思制定出剩余价值理论以前所写的著作中使用过"劳动价值"、"劳动价格"、"出卖劳动"这样的概念。1891年,恩格斯在为马克思的《雇佣劳动与资本》这本小册子所写的导言中指出:"用后来的著作中的观点来衡量",这些概念"是不妥当的,甚至是不正确的"(见《马克思恩格斯选集》第3版第1卷第318页)。马克思和恩格斯在后来的著作中使用的是"劳动力价值"和"劳动力价格"、"出卖劳动力"等概念。——34、70、76。

40 英国工人阶级从18世纪末开始争取用立法手段限制工作日,从19世纪30年代起,广大无产阶级群众投入争取十小时工作日的斗争。十小时工作日法案是英国议会在1847年6月8日通过的,作为法律于1848年5月1日起生效。该法律将妇女和儿童的日劳动时间限制为10小时。

但是,许多英国工厂主并不遵守这项法律,他们寻找种种借口把工作日从早晨5时半延续到晚上8时半。工厂视察员伦·霍纳的报告就是很好的证明(参看《马克思恩格斯文集》第5卷第335页)。

恩格斯在《十小时工作日问题》和《英国的十小时工作日法》(见《马克思恩格斯全集》中文第2版第10卷)中对该法案作了详细的分析。关于英国工人阶级争取正常工作日的斗争,马克思在《资本论》第一卷第八章(见《马克思恩格斯文集》第5卷第267—350页)中作了详细考察。——37。

41 七月革命即1830年7月爆发的法国资产阶级革命。1814年拿破仑第一帝国垮台后,代表大土地贵族利益的波旁王朝复辟,竭力恢复封建专制统治,压制资本主义发展,限制言论自由和新闻出版自由,加剧了资产阶级同贵族地主的矛盾,激起了人民的反抗。1830年7月27—29日巴黎爆发革命,推翻了波旁王朝。金融资产阶级攫取了革命果实,建立了以奥尔良公爵路易-菲力浦为首的代表金融贵族和大资产阶级利益的"七月王朝"。——52。

42 改革运动指英国工业资产阶级发动的议会改革运动。英国资产阶级为了同土地贵族争夺政治权力,在19世纪20年代末提出了改革议会选举制度的要求,经过几年斗争,在人民群众的支持下,迫使英国议会于1832年6月通过了选举法改革法案。这次改革削弱了土地贵族和金融贵族的政治垄断,加强了工业资产阶级在议会中的地位。但是,由于财产资格的限制,为争取选举制度改革而斗争的主力军工人和手工业者仍未获得选举权。——52。

43 正统派是法国代表大土地贵族和高级僧侣利益的波旁王朝(1589—1792年和1814—1830年)长系的拥护者。1830年波旁王朝第二次被推翻以后,正统派结成政党。在反对以金融贵族和大资产阶级为支柱的当政的奥尔良王朝时,一部分正统派常常抓住社会问题进行蛊惑宣传,标榜自己维护劳动者的利益,使他们不受资产者的剥削。——53。

44 "青年英国"是由英国托利党中的一些政治活动家和著作家组成的集团,成立于19世纪40年代初,主要代表人物是本·迪斯累里及托·卡莱尔等。他们维护土地贵族的利益,对资产阶级日益增长的经济势力和政治势力不满,企图用蛊惑手段把工人阶级置于自己的影响之下,并利用他们反对资产阶级。——53。

45 宪章派指宪章运动的参加者。宪章运动是 19 世纪 30—50 年代中期英国工人的政治运动,其口号是争取实施人民宪章。人民宪章要求实行普选权并为保障工人享有此项权利而创造种种条件。宪章派的领导机构是“宪章派全国协会”,机关报是《北极星报》,左翼代表人物是乔·哈尼、厄·琼斯等。恩格斯称宪章派是“近代第一个工人政党”(见《马克思恩格斯选集》第 3 版第 3 卷第 768 页)。按照列宁所下的定义,宪章运动是“世界上第一次广泛的、真正群众性的、政治上已经成型的无产阶级革命运动”(见《列宁选集》第 3 版修订版第 3 卷第 792 页)。宪章运动出现过三次高潮,其衰落的原因在于英国工商业垄断的加强,工人阶级政治上的不成熟,以及英国资产阶级用超额利润收买英国工人阶级上层(“工人贵族”),造成了英国工人阶级中机会主义倾向的增长,其表现就是工联领袖放弃了对宪章运动的支持。——63、92、99、101。

46 改革派又称《改革报》派,是聚集在法国《改革报》周围的一个政治集团,包括一些小资产阶级民主共和主义者和小资产阶级社会主义者。其首领是赖德律-洛兰和路易·勃朗等人。他们主张建立共和国并实行民主改革和社会改革。

《改革报》(La Réforme)是法国的一家日报,小资产阶级民主派、小资产阶级共和党人和小资产阶级社会主义者的机关报,1843 年 7 月—1850 年 1 月在巴黎出版,创办人和主编是赖德律-洛兰和多·弗·阿拉戈,编辑有赖德律-洛兰和斐·弗洛孔等,1847 年 10 月—1848 年 1 月曾刊登恩格斯的许多文章。——63、64、102。

47 北美土地改革派即全国土地改革派,又称美国“全国改革协会”,成立于1845 年,是一个以手工业者和工人为核心的政治团体,宗旨是无偿地分给每一个劳动者一块土地。19 世纪 40 年代后半期,协会宣传土地改革,反对种植场奴隶主和土地投机分子,并提出实行十小时工作制、废除奴隶制、取消常备军等民主要求。许多德国手工业侨民参加了这一土地改革运动。——64、93。

48　波兰人民为争取民族解放曾准备在 1846 年 2 月举行起义。起义的主要
发起人是波兰的革命民主主义者埃·邓波夫斯基等人。但是,由于波
兰小贵族的背叛以及起义的领袖遭普鲁士警察逮捕,总起义未能成功。
仅在从 1815 年起由奥地利、普鲁士和俄国共管的克拉科夫举行了起
义,起义者在 2 月 22 日获胜并建立了国民政府,发表了废除封建徭役
的宣言。克拉科夫起义在 1846 年 3 月初被镇压。1846 年 11 月,奥地
利、普鲁士和俄国签订了关于把克拉科夫并入奥地利帝国的条约。
——65。

49　《共产主义信条草案》是 1847 年 6 月 2—9 日在伦敦召开的共产主义者
同盟第一次代表大会上讨论的纲领性文件。这一文件是同章程草案和
第一次代表大会致同盟盟员的通告信(见《马克思恩格斯全集》中文第
1 版第 42 卷第 419—437 页)一起于 1968 年在共产主义者同盟的积极
活动家约阿希姆·弗里德里希·马尔滕斯的文稿中发现的。找到的手
稿,除了添写的几个字、最后一句话和代表大会主席及秘书的签名,都
出自恩格斯的手笔。

　　恩格斯积极参加了代表大会(马克思未能去伦敦),这一点从代表
大会的工作和各项决议中可以看出。同盟改名为共产主义者同盟,正
义者同盟(见注 57)原来的口号"人人皆兄弟"改为具有阶级性的新口
号"全世界无产者,联合起来!"1847 年 6 月 9 日代表大会最后一次全会
肯定了同盟章程草案和这一纲领草案。

　　《共产主义者信条草案》同章程草案一起被分发到同盟各支部去进
行讨论,讨论结果则在第二次代表大会最后批准纲领和章程时给以考
虑。1847 年 10 月底—11 月恩格斯在《信条》原文的基础上拟定了另一
个更加完善的共产主义者同盟纲领草案——《共产主义原理》(见本
书)。恩格斯利用《信条》原文这一点可直接从下述情况得到证明:《信
条》和《原理》有许多地方在行文上是一致的;对《原理》中某些问题的
回答,恩格斯决定保留《信条》中的原有答案。—— 69。

50　《共产主义原理》是恩格斯为共产主义者同盟(见注 2)撰写的纲领草
案。1847 年 6 月,在共产主义者同盟第一次代表大会期间,恩格斯为同
盟起草了第一个纲领稿本,即《共产主义信条草案》(见本书)。同年 10
月底—11 月,恩格斯受同盟巴黎区部的委托,在《共产主义信条草案》

的基础上写出新的纲领草案《共产主义原理》,准备提交同盟第二次代表大会讨论。恩格斯在 1847 年 11 月 23—24 日写信给马克思,扼要介绍了《共产主义原理》的内容,并建议"最好不要采用那种教义问答形式,而把这个文本题名为《共产主义宣言》"(见本书第 116 页)。这个重要意见得到了马克思的赞同。1847 年 11 月,共产主义者同盟第二次代表大会委托马克思和恩格斯为同盟起草一个准备公布的纲领。他们在《共产主义原理》的基础上写成了《共产党宣言》(见本书)。

《共产主义原理》的中译文曾收入 1930 年由潘鸿文编、上海社会科学研究社出版的《马克斯主义的基础》一书;1949 年 7 月上海民间出版社又出版了林若的中译本。——76。

51　在恩格斯的手稿中,以下是半页空白,没有答案。在《共产主义信条草案》中有对这个问题的答案:"不同于无产者的所谓手工业者,上个世纪几乎到处都有,而今天还散见各处,他们顶多是暂时的无产者。他们的目的是为自己获得资本,并用它来剥削其他劳动者。当行会仍然存在,或者当经营自由还没有导致手工业按工厂方式来经营、还没有导致激烈的竞争时,他们往往还可以达到这个目的。但是,一旦手工业采用了工厂制度,竞争也非常盛行时,这种前景就消失了,手工业者就日益成为无产者。因此,手工业者获得解放的道路是:**要么**成为资产者或一般说来变为中间等级,**要么**由于竞争而成为无产者(正如现在所经常发生的),并参加无产阶级的运动,也就是参加或多或少自觉的共产主义运动。"(见本书第 72 页)——80。

52　恩格斯曾在晚年给 1845 年的《英国工人阶级状况》一书写的序言中指出:"……我把工业大危机的周期算成了五年。这个关于周期长短的结论,显然是从 1825 年到 1842 年间的事变进程中得出来的。但是 1842 年到 1868 年的工业历史证明,实际周期是十年,中间危机只具有次要的性质,而且在 1842 年以后日趋消失。"(见《马克思恩格斯选集》第 3 版第 1 卷第 70 页)——82。

53　在回答第二十二个问题的地方,写着"保留原案"的字样。这是指答案应当维持恩格斯写的《共产主义信条草案》中的答案,即:"按照财产公有原则结合起来的各个民族的民族特点,由于这种联合而必然相互交融,从而自行消失,正如各种不同的等级差别和阶级差别由于消灭了它们的基础即私有制而必将消失一样。"(见本书第 74 页)——91。

54　在回答第二十三个问题的地方,写着"保留原案"的字样。这是指答案应当维持恩格斯写的《共产主义信条草案》中的答案,即:"迄今一切宗教都是单个民族或多个民族的历史发展阶段的表现。而共产主义却是使一切现有宗教成为多余并使之消灭的发展阶段。"(见本书第 74 页)——91。

55　《关于共产主义者同盟的历史》是恩格斯为马克思的著作《揭露科隆共产党人案件》(见《马克思恩格斯全集》中文第 2 版第 11 卷)德文第三版写的引言,第一次刊登在 1885 年 11 月 12、19、26 日《社会民主党人报》第 46、47、48 号;还被收入 1885 年 11 月在霍廷根—苏黎世出版的小册子:马克思《揭露科隆共产党人案件。新版附弗里德里希·恩格斯的引言和几个文件》。

　　1939 年延安解放社出版的由王石巍、柯柏年等翻译的《德国的革命和反革命》一书,收入了由景林翻译、徐冰校订的这篇文章。——94。

56　卡·维尔穆特和威·施梯伯的《19 世纪共产主义者的阴谋》一书上册叙述了所谓工人运动的"历史",该书的附录转载了若干落到警察手里的共产主义者同盟的文件。下册的内容是一份同工人运动和民主运动有联系的人的"黑名单"以及他们的履历表。——94、105。

57　正义者同盟是 1836 年在巴黎成立的德国工人和手工业者的秘密组织,主要由流亡者同盟中分裂出来的激进分子组成,也有一些其他国家的人参加。随着同盟开展各种合法活动和秘密活动,该组织日益具有国际性。同盟长期受威·魏特林粗陋的平均共产主义的影响,也受"真正的社会主义"和蒲鲁东小资产阶级社会主义的影响。后来在马克思和恩格斯的直接指导下,正义者同盟于 1847 年 6 月初在伦敦举行代表大会,实行了改组,更名为共产主义者同盟。——95。

58　巴贝夫主义是法国空想的平均共产主义流派之一,18 世纪末由法国革命家弗·巴贝夫及其拥护者创立。他们主张以密谋方式策动工人、贫民和士兵进行革命,推翻现存制度,消灭私有制,建立财产公有、人人平等的劳动人民共和国。——95。

59 四季社是法国七月王朝时期的秘密革命团体,1837—1839 年在巴黎进行活动。1835 年,奥·布朗基等人建立了家族社,1837 年改组为四季社。其目的是以暴力推翻现存的金融贵族政权,由少数革命家专政,建立共和国,实现社会平等。1839 年 5 月 12 日四季社策划发动了巴黎武装起义,占领了市政厅。起义中革命工人起了主要作用,但没有获得广大群众的支持,起义当天即被政府军队和国民自卫军镇压,布朗基等人被捕,四季社亦不复存在。——95。

60 卡·沙佩尔在 1839 年 5 月 12 日起义后立即被捕,经过七个月监禁后被逐出法国;亨·鲍威尔在巴黎继续从事革命活动,于 1841 年 12 月被逮捕后也被驱逐出境。——96。

61 指法兰克福袭击岗哨事件,这是德国民主主义者同维也纳会议后在德国建立的反动统治进行斗争的事件之一。1833 年 4 月 3 日,一群激进分子,主要是大学生,企图通过袭击德意志联邦中央机关,即美因河畔法兰克福的联邦议会,在国内发起变革,宣布成立全德意志共和国。由于准备不充分且事先走漏了消息,这次行动被在人数上占压倒优势的官方军队镇压下去。卡·沙佩尔没有参加 4 月 3 日的岗哨袭击事件。——96。

62 1834 年 2 月,意大利资产阶级民主主义者朱·马志尼组织了他在 1831 年创建的"青年意大利"社的成员以及一群外国革命流亡者,从瑞士向属于撒丁王国(皮埃蒙特)的萨瓦进军,目的是在那里发动人民起义,以便统一意大利并建立独立的意大利资产阶级共和国。卡·沙佩尔所在的部队未能抵达位于萨瓦边境的预定集合地点。——96。

63 蛊惑者是对 19 世纪 20 年代德国知识分子反政府运动的参加者的称呼。他们组织政治性的示威游行,反对德意志各邦的反动制度,提出统一德国的要求。1819 年大学生桑德刺杀神圣同盟的拥护者和沙皇代理人科策布,这一事件成了当局镇压所谓"蛊惑者"的借口。1819 年 8 月德意志各邦大臣在卡尔斯巴德召开联席会议,通过一项对付所谓"蛊惑者阴谋"的专门决议,从此"蛊惑者"这一称谓便流传开来。到了 30 年代,由于受法国 1830 年革命的影响,德国及欧洲各国的反政府运动和革命运动又高涨起来,所谓的"蛊惑者"又受到新的迫害。——96。

64　德意志工人教育协会,即伦敦德意志工人共产主义教育协会,1840 年 2 月 7 日由正义者同盟(见注 57)的成员卡·沙佩尔、约·莫尔和其他活动家在伦敦成立,有时按会址称做大磨坊街协会。共产主义者同盟成立后,在协会中起领导作用的是同盟的地方支部。1847 年和 1849—1850 年,马克思和恩格斯参加了该协会的活动。在共产主义者同盟内部以马克思和恩格斯为首的中央委员会多数派同维利希—沙佩尔冒险主义宗派集团少数派之间的斗争中,协会大多数成员站在少数派一边,因此,马克思和恩格斯及其许多拥护者于 1850 年 9 月 17 日退出了协会。从 50 年代末起,马克思和恩格斯重新参加了该协会的活动。国际工人协会(见注 14)成立之后,该协会成为国际在伦敦的德国人支部。伦敦教育协会一直存在到 1918 年为英国政府所封闭。——97、99。

65　《前进报。巴黎德文杂志》(Vorwärts. Pariser Deutsche Zeitschrift)是在巴黎出版的一家德文刊物,1844 年 1 月创刊,每周出两次(星期三和星期六),创办人和编辑之一为亨·伯恩施太因,副标题为《巴黎艺术、科学、戏剧、音乐和社交生活信号》(Pariser Signale aus Kunst, Wissenschaft, Theater, Musik und geselligem Leben),1844 年 7 月 1 日卡·路·贝尔奈斯参加编辑部,同时副标题改为《巴黎德文杂志》;报纸最初为一家温和的自由派刊物,从 1844 年夏天起,在马克思的影响下成为当时最优秀的革命报纸之一,批判普鲁士的反动政策,刊登马克思和恩格斯等人的文章;1844 年 12 月因一些工作人员被政府驱逐出法国而停刊。——98。

66　正义者同盟盟员、裁缝帮工弗里德里希·门特尔于 1845 年底从巴黎和伦敦回到柏林,建立了很多支部。1846 年 12 月 9 日门特尔被捕,在经受了大约 3 周严酷的隔离监禁之后,供述了他所知道的同盟的活动,但在审判时作了否认。亚历山大·贝克因为门特尔的供述而于 1846 年 12 月底在马格德堡被捕。——98。

67　《德法年鉴》(Deutsch-Französische Jahrbücher)是由马克思和阿·卢格

在巴黎编辑出版的德文刊物,仅在 1844 年 2 月出版过第 1—2 期合刊;其中刊载有马克思的著作《论犹太人问题》(见《马克思恩格斯文集》第 1 卷)和《〈黑格尔法哲学批判〉导言》(见《马克思恩格斯选集》第 3 版第 1 卷),以及恩格斯的著作《国民经济学批判大纲》(见《马克思恩格斯选集》第 3 版第 1 卷)和《英国状况。评托马斯·卡莱尔的〈过去和现在〉》(见《马克思恩格斯全集》中文第 2 版第 3 卷)。这些著作标志着马克思和恩格斯完成了从唯心主义向唯物主义、从革命民主主义向共产主义的转变。该杂志由于马克思和资产阶级激进分子卢格之间存在原则分歧而停刊。——101。

68 市民社会(bürgerliche Gesellschaft)这一术语出自黑格尔《法哲学原理》第 182 节(见《黑格尔全集》1833 年柏林版第 8 卷)。在马克思的早期著作中,这一术语有两重含义。广义地说,是指社会发展各历史时期的经济制度,即决定政治制度和意识形态的物质关系总和;狭义地说,是指资产阶级社会的物质关系。因此,应按照上下文作不同的理解。——101。

69 即布鲁塞尔德意志工人教育协会,该协会是马克思和恩格斯 1847 年 8 月底在布鲁塞尔建立的德国工人团体,旨在对侨居比利时的德国工人进行政治教育并向他们宣传科学社会主义思想。在马克思和恩格斯及其战友的领导下,协会成了团结侨居比利时的德国革命无产者的合法中心,并同佛兰德和瓦隆工人俱乐部保持着直接的联系。协会中的优秀分子加入了共产主义者同盟的布鲁塞尔支部。协会在布鲁塞尔民主协会(见注 72)成立过程中发挥了积极作用。1848 年法国资产阶级二月革命(见注 3)后不久,由于协会成员被比利时警察当局逮捕或驱逐出境,协会在布鲁塞尔的活动即告停止。——102、120。

70 《德意志—布鲁塞尔报》(Deutsche-Brüsseler-Zeitung)是布鲁塞尔德国流亡者创办的报纸,1847 年 1 月 3 日—1848 年 2 月 27 日由阿·冯·伯恩施太德主编和出版;起初具有小资产阶级民主主义倾向,后来在马克思和恩格斯的影响下,成为传播革命民主主义思想和共产主义思想的报纸;威·沃尔弗从 1847 年 2 月底起,马克思和恩格斯从 1847 年 9 月起经常为该报撰稿,并实际领导编辑部的工作。——102。

71　《北极星报。全国工联的报纸》(The Northern Star, and National Trades'
Journal)是英国的一家周报,宪章派(见注45)的机关报;1837 年由菲·
奥康瑙尔在利兹创刊,名称为《北极星报。利兹总汇报》(The Northern
Star, and Leeds General Advertiser);1843 年 9 月乔·朱·哈尼参加报纸
编辑部;1844 年 11 月起用《北极星报。全国工联的报纸》这一名称在伦
敦出版;1843—1849 年报纸曾刊登恩格斯的文章、短评和通讯;哈尼离
开编辑部后报纸逐步转向反映宪章派右翼的观点;1852 年停刊。
——102。

72　民主协会,即布鲁塞尔民主协会,1847 年 11 月 7 日成立于布鲁塞尔。
协会成员大多数是比利时激进的及温和的民主主义者,此外还有法国
人、荷兰人、波兰人和瑞士人,以及在布鲁塞尔的德国共产主义者中的
积极分子。马克思和恩格斯以及他们所领导的布鲁塞尔德意志工人教
育协会(见注69)对该协会的成立起了积极的作用。布鲁塞尔民主协会
把无产阶级革命者(其中主要是德国的革命流亡者)和资产阶级以及小
资产阶级民主进步分子团结在自己的队伍中。1847 年 11 月 15 日,马
克思当选为该协会的副主席,比利时的民主主义者吕·若特兰被推选
为主席。在马克思的影响下,布鲁塞尔民主协会成为国际民主主义运
动的中心之一。在法国资产阶级二月革命(见注 3)时期,民主协会中
的无产阶级革命者曾设法武装比利时工人,开展争取建立民主共和国
的斗争。但是到 1848 年 3 月初,马克思被驱逐出布鲁塞尔以及比利时
当局镇压了协会中最革命的分子以后,比利时的资产阶级民主主义者
便没有能力领导劳动群众反对君主政体的运动了,民主协会的活动成
了纯地方性的活动,到 1849 年,协会的活动实际上已告停止。
——102。

73　指《人民代言者报》(Der Volks-Tribun),该报是德国"真正的社会主义
者"(见注74)在纽约创办的周报,1846 年 1 月 5 日—12 月 31 日出版,
其编辑是海·克利盖。——103。

74　"真正的社会主义"是从 1844 年起在德国知识分子中间传播的一种小
资产阶级社会主义学说,其代表人物有卡·格律恩、莫·赫斯和海·克
利盖等人。"真正的社会主义者"宣扬超阶级的爱、抽象的人性和改良

主义思想,拒绝进行政治活动和争取民主的斗争,否认进行资产阶级民主革命的必要性。在 19 世纪 40 年代的德国,这种学说成了不断发展的工人运动的障碍,不利于团结民主力量进行反对专制制度和封建秩序的斗争,不利于在革命斗争的基础上形成独立的无产阶级运动。马克思和恩格斯在 1845—1848 年的许多著作中对"真正的社会主义"进行了不懈的批判,如《德意志意识形态》(见《马克思恩格斯文集》第 1 卷)、《反克利盖的通告》(见《马克思恩格斯全集》中文第 1 版第 4 卷)、《诗歌和散文中的德国社会主义》(同上)、《"真正的社会主义者"》(见《马克思恩格斯全集》中文第 1 版第 3 卷)和《共产党宣言》(见本书)。——104。

75 《共产党在德国的要求》是马克思和恩格斯于 1848 年 3 月 21—29 日在巴黎写成的。这些要求是共产主义者同盟(见注 2)在德国革命的初始阶段的政治纲领。3 月 30 日前后,《共产党在德国的要求》被印成传单,4 月初发表在一系列民主报纸上。《要求》是作为指示性文件分发给回国的共产主义者同盟盟员的。在革命的进程中,马克思、恩格斯和他们的拥护者在人民群众中广泛宣传这一纲领性的文件。1848 年 9 月 10 日以前,《要求》在科隆印成传单,并由科隆工人联合会的会员在莱茵省许多地方散发。1848 年 10 月在柏林召开的第二届民主主义者代表大会上,科隆工人联合会的代表弗·博伊斯特以社会问题处理委员会的名义,建议通过一个措施纲领,这个纲领几乎完全摘自《要求》。1848 年 11 月和 12 月在科隆工人联合会的多次会议上曾讨论过《要求》中的个别条文。1848 年底或 1849 年初,《要求》被摘要收入维勒在莱比锡出版的《政治传单汇编》。

恩格斯在这里没有全部引用这个文件。恩格斯当时手头没有这份文件的完整原文,他依据的是卡·维尔穆特和威·施梯伯合编的《19 世纪共产主义者的阴谋》一书(见注 56)上册对该文件的摘引。该文件的全文见《马克思恩格斯全集》中文第 1 版第 5 卷第 3—5 页。——106。

76 指德国工人俱乐部,它是根据共产主义者同盟领导人的提议于 1848 年 3 月 8—9 日在巴黎成立的。马克思在这个团体中起了领导作用,起草了俱乐部章程。成立俱乐部的目的是要团结侨居巴黎的德国工人流亡者,向他们说明无产阶级在资产阶级民主革命中的策略,反对资产阶级和小资产阶级民主派企图通过民族主义的宣传引诱工人参加志愿军团打回德国的冒险行径。俱乐部在组织德国工人单个回国参加革命斗争方面做了很多工作。——108。

77　指《新莱茵报。民主派机关报》(Neue Rheinische Zeitung.Organ der Demokratie)。该报是德国 1848—1849 年革命时期民主派中无产阶级一翼的战斗机关报,1848 年 6 月 1 日—1849 年 5 月 19 日每日在科隆出版,马克思任主编;参加编辑部工作的有恩格斯、威·沃尔弗、格·维尔特、斐·沃尔弗、恩·德朗克、斐·弗莱里格拉特和亨·毕尔格尔斯。

《新莱茵报》编辑部作为无产阶级革命运动的领导核心,实际履行了共产主义者同盟中央委员会的职责,起到了教育和鼓舞人民群众的作用。报纸发表的有关德国和欧洲革命的社论,通常都是由马克思和恩格斯执笔。尽管遭到当局的种种迫害和阻挠,《新莱茵报》仍然英勇地捍卫革命民主主义运动和无产阶级的利益。1848 年 9 月 26 日科隆实行戒严,报纸暂时停刊;此后在经济和组织方面遇到了巨大困难,马克思不得不在经济上对报纸的出版负责,为此,他把自己的全部积蓄贡献出来,报纸终于获得了新生。1849 年 5 月,在反革命势力全面进攻的形势下,普鲁士政府借口马克思没有普鲁士国籍而把他驱逐出境,同时又加紧迫害《新莱茵报》的其他编辑,致使该报被迫停刊。1849 年 5 月 19 日,《新莱茵报》用红色油墨印出了最后一号即第 301 号。报纸的编辑在致科隆工人的告别书中说:"无论何时何地,他们的最后一句话将始终是:工人阶级的解放!"(参看《马克思恩格斯全集》中文第 1 版第 6 卷第 619 页)——109、136。

78　工人兄弟会是共产主义者同盟盟员斯·波尔恩于 1848 年在柏林建立的德国工人和手工业者的组织。波尔恩是工人运动中改良主义路线的代表,他把兄弟会的活动局限于组织经济罢工和力图实现有利于手工业者的狭隘的行会性措施,如给小生产者贷款和组织合作社等。兄弟会的纲领是断章取义地引用了《共产党宣言》的观点和吸收了路易·勃朗及皮·约·蒲鲁东的小资产阶级社会主义学说以后拼凑而成的。但是,兄弟会的一些经常接受共产主义者同盟盟员领导的地方分会,在1848—1849 年革命事件的直接影响下积极参加了革命斗争。1849 年春,马克思和恩格斯在筹建摆脱小资产阶级民主派的无产阶级政党时,曾想利用工人兄弟会的组织。1850 年,政府禁止了工人兄弟会的活动,但是它的若干分会还继续存在了许多年。——109。

79　1849 年 5 月 3—9 日在德累斯顿发生了武装起义,萨克森国王拒绝承认帝国宪法并且任命极端反动分子钦斯基担任首相,是这次起义的导火线。起义者曾控制了一个主要城区,成立了以激进的民主主义者赛·埃·奇尔讷为首的临时政府。在起义中起积极作用的有米·巴枯宁、斯·波尔恩和作曲家理·瓦格纳。资产阶级和小资产阶级几乎没有参加斗争,工人和手工业者在街垒战中起了主要作用。起义遭到萨克森军队和开抵萨克森的普鲁士军队的镇压。德累斯顿起义为 1849 年 5—7 月在德国西南部发生的维护帝国宪法运动(参看注 82)拉开了序幕。——110。

80　宗得崩德(德语 Sonderbund 的译音,意为"单独联盟")是瑞士七个经济落后的天主教州为对抗进步的资产阶级改革和维护教会的特权于 1843 年缔结的单独联盟。

　　马克思和恩格斯经常用这个名称来讽刺搞分裂的宗派集团,尤其是 1850 年 9 月 15 日共产主义者同盟分裂后另立自己的中央委员会的维利希—沙佩尔宗派集团。这个集团的活动为普鲁士警察当局破获共产主义者同盟的德国地下支部提供了方便,使其找到借口于 1852 年在科隆制造了迫害共产主义者同盟著名活动家的案件(见注 13)。——110、114。

81　1849 年 6 月 13 日,小资产阶级政党山岳党在巴黎组织了一次和平示威,抗议法国派兵镇压意大利革命,因为共和国宪法规定,禁止动用军队干涉别国人民的自由。这次示威被军队驱散,它的失败宣告了法国小资产阶级民主主义的破产。6 月 13 日以后,当局开始迫害民主主义者,其中包括外侨,同时许多社会主义报刊遭到查封。——110。

82　德国五月起义指 1849 年 5 月德国一些地区爆发的维护帝国宪法的运动。这场运动是 1848 — 1849 年德国资产阶级民主革命的最后阶段。以普鲁士为首的德意志各邦拒绝承认法兰克福国民议会于 1849 年 3 月 28 日通过的帝国宪法,激发了人民群众的反抗情绪,他们把帝国宪法视为唯一还没有被取消的革命成果。1849 年 5 月初在萨克森和莱茵省,5—7 月在巴登和普法尔茨相继爆发了维护帝国宪法的武装起义。6 月初,两个普鲁士军团约 6 万人与一个联邦军团开始对两地起义者实行武力镇压,而法兰克福国民议会却不给起义者任何援助。1849 年 7 月,维护帝国宪法运动被镇压下去。恩格斯在《德国维护帝国宪法的运动》(见《马克思恩格斯全集》中文第 2 版第 10 卷)和《德国的革命和反革命》(见《马克思恩格斯选集》第 3 版第 1 卷)中对这一运动进行了评述。——110。

83　1849 年,沙皇军队为了镇压匈牙利资产阶级革命、恢复奥地利哈布斯堡王朝的统治,对匈牙利进行了武装干涉。根据尼古拉一世的命令,俄国军队于 1849 年 5 月开进了匈牙利。——110。

84　兵营指社会民主主义流亡者委员会于 1850 年 7 月在伦敦租用的一套带工作室、卧室及公用厨房的住宅。这里聚集着奥·维利希的追随者及维利希—沙佩尔冒险主义宗派集团的大多数成员。——111。

85　这句话引自 1850 年 6 月的《共产主义者同盟中央委员会告同盟书》(见《马克思恩格斯全集》中文第 2 版第 10 卷第 425 页)。1885 年,恩格斯在编辑出版马克思《揭露科隆共产党人案件》第三版时,把 1850 年 3 月和 6 月的两个告同盟书都收入了该书的附录。——112。

86　《新莱茵报。政治经济评论》(Neue Rheinische Zeitung. Politisch-ökono-mische Revue)是马克思和恩格斯于 1849 年 12 月创办的共产主义者同盟的理论和政治刊物。它是马克思和恩格斯在 1848 —1849 年革命期间出版的《新莱茵报》(见注 77)的续刊。该杂志 1850 年 3—11 月底总共出了六期,其中有一期是合刊(第 5—6 期合刊)。杂志在伦敦编辑,在汉堡印刷。封面上注明的出版地点还有纽约,因为马克思和恩格斯打算在侨居美国的德国流亡者中间发行这个杂志。该杂志发表的绝大部分文章(论文、短评、书评)都是马克思和恩格斯撰写的。他们也约请他们的支持者如威·沃尔弗、约·魏德迈、格·埃卡留斯等人撰稿。该杂志发表的马克思和恩格斯的重要著作有:马克思《1848 年至 1850 年的法兰西阶级斗争》(见《马克思恩格斯选集》第 3 版第 1 卷)、恩格斯

《德国维护帝国宪法的运动》(见《马克思恩格斯全集》中文第 2 版第 10
卷)和《德国农民战争》(见《马克思恩格斯文集》第 2 卷)。这些著作总
结了 1848—1849 年革命的经验,进一步制定了革命无产阶级政党的理
论和策略。1850 年 11 月,由于反动势力的迫害,加上资金缺乏,杂志被
迫停刊。——112、118。

87　共产主义者同盟科隆中央委员会特使彼·诺特荣克 1850 年 11 月 5 日
左右离开科隆,途经哈根、比雷菲尔德、汉诺威、基尔、罗斯托克和施韦
林,1850 年 12 月中旬到达柏林。原计划继续前往莱比锡,但是,不知何
故,却在柏林停留了几个月,而且参加了当地的政治活动。1851 年 5 月
8 日,他没有重新征得中央委员会的同意,就前往莱比锡,5 月 10 日,在
抵达莱比锡火车站时被捕。诺特荣克违反秘密工作常规随身携带大批
文件,导致当局对同盟盟员进行大规模搜捕。——113。

88　美国内战即 1861—1865 年美国南北战争。19 世纪中叶,美国南部种植
园主奴隶制与北部资产阶级雇佣劳动制的矛盾日益尖锐。1860 年 11
月,主张限制奴隶制的共和党候选人林肯当选为总统,美国南部的奴隶
主发动了维护奴隶制的叛乱。1861 年 2 月,南部先后宣布脱离联邦的
各州在蒙哥马利大会上成立南部同盟,公开分裂国家,并于当年 4 月 12
日炮轰萨姆特要塞(南卡罗来纳州),挑起内战。1865 年 4 月,南部同
盟的首都里士满被攻克,南部同盟的联军投降,战争结束。北部各州在
南北战争中取得了胜利,维护了国家的统一,并为资本主义的迅速发展
扫清了道路。——113。

89　卡·沙佩尔死于 1870 年 4 月 28 日。奥·维利希在雷萨卡战役(1864
年 5 月 14—15 日)中被敌军子弹击中肩部,致右臂残疾,不能继续上战
场;维利希死于 1878 年 1 月 22 日。海·艾韦贝克 1853 年到美国,1854
年返回巴黎,1860 年 11 月 4 日死于巴黎。——113。

90　《未来。社会主义评论》(Die Zukunft. Socialistische Revue)是德国社会
民主党人创办的杂志,1877 年 10 月—1878 年 11 月由卡·赫希柏格
(笔名路德维希·李希特尔博士)在柏林出版,每月出两期;马克思和恩
格斯曾对杂志的改良主义倾向提出尖锐批评。——123。

91　《新社会。社会科学月刊》(Die Neue Gesellschaft. Monatsschrift für Social-wissenschaft)是德国改良派的杂志,1877 年 10 月—1880 年 3 月在苏黎世出版,创办人和主编是弗·维德;曾建议马克思和恩格斯为报纸撰稿,遭到谢绝。——123。

92　指 1848 年 2 月 22 日在布鲁塞尔举行的纪念克拉科夫起义(见注 48)二周年的集会,参加集会的波兰公民大约有 1000 人。——125。

93　"劳动骑士"即劳动骑士团的简称,是 1869 年在费城创建的美国工人组织。在 1878 年以前,它是一个秘密团体,其成员大部分是非熟练工人,并且还有许多是黑人,其目的是建立合作社和组织互助。劳动骑士团也曾多次参加工人阶级的行动,但是,它的领导层原则上反对工人参加政治斗争,并主张阶级合作,他们曾试图阻止 1886 年在全国范围内爆发的罢工运动,禁止其成员参加。尽管如此,劳动骑士团的普通成员仍然参加了罢工。此后,劳动骑士团在工人群众中的影响逐渐丧失,19 世纪 90 年代末彻底解散。——128。

94　反社会党人法即反社会党人非常法,是俾斯麦政府在帝国国会多数的支持下于 1878 年 10 月 19 日通过并于 10 月 21 日生效的一项法律,其目的在于反对社会主义运动和工人运动。这项法律将德国社会民主党置于非法地位,党的一切组织、群众性的工人组织被取缔,社会主义的和工人的刊物被查禁,社会主义文献被没收,社会民主党人遭到镇压。但是,社会民主党在马克思和恩格斯的积极帮助下战胜了自己队伍中右的和"左"的机会主义倾向,得以在非常法生效期间正确地把地下工作同利用合法机会结合起来,大大加强和扩大了自己在群众中的影响。在日益壮大的工人运动的压力下,反社会党人非常法于 1890 年 10 月 1 日被废除。——131。

95　进步党是指 1861 年 6 月成立的普鲁士资产阶级进步党。其著名的代表人物有贝·瓦尔德克、鲁·微耳和、舒尔采–德里奇、马·福尔肯贝克和莱·霍维尔贝克。进步党在纲领中提出如下要求:在普鲁士领导下统一德国,召开全德议会,成立对众议院负责的强有力的自由派内阁。进步党没有提出普选权、结社和集会权以及新闻出版自由等基本的民主要求。进步党政治上的动摇反映了它所依靠的商业资产阶级、小工业家和部分手工业者的不稳定性。1866 年,进步党分裂,其右翼组成了屈从于俾斯麦政府的民族自由党。——131。

96 农民党(左派党)是 1870 年建立的丹麦资产阶级自由派政党。在 20 世纪,该党代表大地主、中等地主和一部分城市资产阶级的利益。——131。

97 纯粹的共和派(也称三色旗共和派、《国民报》派)是法国温和的资产阶级共和派,该派所依靠的是法国工业资产阶级和一部分自由主义知识分子。1848 年革命时期,这一派的领导人参加了临时政府,后来靠卡芬雅克的帮助策划了六月大屠杀。《国民报》是该派的机关报,该报从 1830 年至 1851 年在巴黎出版,总编辑是阿·马拉斯特。——133。

98 指德国社会民主工党。1869 年 8 月 7—9 日在德国爱森纳赫举行了德国、奥地利和瑞士社会民主主义者全德代表大会。会上成立了德国无产阶级的独立的革命政党德国社会民主工党,即爱森纳赫党或爱森纳赫派。该党的领导人是奥·倍倍尔和威·李卜克内西。党的领导机构是由五人组成的执行委员会,会址设在不伦瑞克,通称不伦瑞克委员会。另有十一人组成的监察委员会负责对执行委员会的工作进行检查,会址设在维也纳。这次代表大会通过的纲领,即爱森纳赫纲领,总的来说是符合国际工人协会共同章程的精神的。该党成为国际工人协会的一个支部。——133。

99 公社(община)是俄国农民共同使用土地的形式,其特点是在实行强制性的统一轮作的前提下,将耕地分给农户使用,森林、牧场则共同使用,不得分割。公社内实行连环保制度。公社的土地定期重分,农民无权放弃土地和买卖土地。公社管理机构由选举产生。俄国的公社在远古时代即已存在,在历史发展过程中逐渐成为俄国封建制度的基础。俄国自 1861 年改革以后,随着资本主义生产关系的发展和资本主义向俄国农业的渗透,公社制度逐渐解体。——134。

100 这是马克思和恩格斯 1882 年 1 月 21 日为《共产党宣言》俄文版第二版写的序言中的一段话(参看本书第 6 页)。恩格斯在这里引用的是格·

瓦·普列汉诺夫翻译的版本,俄文译文与德文原文略有差别。——134。

101　1894年1月3日,朱·卡内帕请求恩格斯为1894年3月起在日内瓦出版的周刊《新纪元》找一段题词,用简短的字句来表述未来的社会主义纪元的基本思想,以别于但丁曾说的"一些人统治,另一些人受苦难"的旧纪元。恩格斯在卡内帕来信的背面写了这封回信的草稿。——134。

102　《社会评论》(Critica Sociale)是意大利的一家双周杂志,是社会党的理论刊物;1891—1924年用这个名称在米兰出版;杂志的编辑是菲·屠拉梯;在19世纪90年代,该杂志发表过马克思和恩格斯的著作,在意大利传播马克思主义方面起了显著的作用。——135。

103　《共产主义者同盟章程》是1847年12月8日在同盟第二次代表大会上通过的,原件没有流传下来。1853—1854年,德国警官卡·维尔穆特和威·施梯伯合编并出版了《19世纪共产主义者的阴谋》一书(见注56),该书上册的附录刊载了落入警方之手的这个章程的一个文本。——138。

人 名 索 引

A

阿尔布雷希特，卡尔（Albrecht，Karl 1788—1844）——德国商人，曾因参加"蛊惑者"的反政府运动被判处六年徒刑；1841年移居瑞士，在那里以宗教神秘主义形式鼓吹类似魏特林的空想共产主义思想。——103。

埃尔哈德，约翰·路德维希·阿尔伯特（Erhard，Johann Ludwig Albert 生于1820年）——德国店员，共产主义者同盟盟员，科隆共产党人案件（1852）的被告之一，被陪审法庭宣告无罪。——114。

埃卡留斯，约翰·格奥尔格（Eccarius，Johann Georg 1818—1889）——德国工人运动和国际工人运动的活动家，工人政论家，职业是裁缝；侨居伦敦，正义者同盟盟员，后为共产主义者同盟盟员，伦敦德意志工人共产主义教育协会的领导人之一，国际总委员会委员（1864—1872），总委员会总书记（1867—1871年5月），美国通讯书记（1870—1872），国际各次代表大会和代表会议的代表；1872年以前支持马克思，1872年海牙代表大会后成为英国工联的改良派领袖，后为工联主义运动的活动家。——104。

埃斯特鲁普，雅科布·布伦农·斯卡文尼乌斯（Estrup，Jacob Brönnum Scavenius 1825—1913）——丹麦国务活动家，保守党人；曾任内务大臣（1865—1869），财政大臣和首相（1875—1894）。——131。

艾韦贝克，奥古斯特·海尔曼（Ewerbeck，August Hermann 1816—1860）——德国医生和政论家，1841—1846年领导巴黎正义者同盟人民议事会，正义者同盟巴黎支部的领导人，后为共产主义者同盟盟员，1850年退出同盟；1848—1849年革命时期是在巴黎建立的德国人协会书记和《新莱茵报》驻巴黎通讯员;50 年代是语言教师和图书管理员。——102、113。

奥托,卡尔·武尼巴德(Otto, Karl Wunibald 1808—1862 以后)——德国化学家,1848—1849 年革命的参加者,科隆工人联合会会员,共产主义者同盟科隆支部成员,1850—1851 年是同盟中央委员会委员,中央委员会派往莱比锡和德累斯顿的特使(1851),科隆共产党人案件(1852)的被告之一,被判五年徒刑,1856 年 9 月获释。——113—114。

B

巴贝夫,格拉古(Babeuf, Gracchus 原名弗朗索瓦·诺埃尔 François-Noël 1760—1797)——法国革命家,空想平均共产主义的代表人物,1796 年是平等派密谋的组织者;密谋失败后被处死。——60、95。

巴尔贝斯,西吉斯蒙·奥古斯特·阿尔芒(Barbès, Sigismond Auguste Armand 1809—1870)——法国革命家,小资产阶级民主主义者,七月王朝时期秘密革命团体四季社的领导人之一;第二共和国时期是制宪议会议员(1848),因参加 1848 年五月十五日事件被判处无期徒刑,1854 年遇赦;后流亡荷兰,不久即脱离政治活动。——95。

巴枯宁,米哈伊尔·亚历山大罗维奇(Бакунин, Михаил Александрович 1814—1876)——俄国无政府主义和民粹主义创始人和理论家;1840 年起侨居国外,曾参加德国 1848—1849 年革命;1849 年因参与领导德累斯顿起义被判死刑,后改为终身监禁;1851 年被引渡给沙皇政府,囚禁期间向沙皇写了《忏悔书》;1861 年从西伯利亚流放地逃往伦敦;1868 年参加第一国际活动后,在国际内部组织秘密团体——社会主义民主同盟,妄图夺取总委员会的领导权;由于进行分裂国际的阴谋活动,1872 年在海牙代表大会上被开除出第一国际。——5、11、15、18。

鲍威尔,安德烈亚斯·亨利希(Bauer, Andreas Heinrich 约生于 1813 年)——德国工人运动活动家,职业是鞋匠;1838 年在巴黎成为正义者同盟盟员,1842 年被驱逐出法国;曾一度担任伦敦德意志工人共产主义教育协会主席,共产主义者同盟中央委员会委员(1847—1850),社会民主主义流亡者委员会的司库;1850 年春是同盟派往德国的特使;1851 年流亡澳大利亚。——95、96、107、111、113。

贝克,亚历山大(Beck, Alexander)——德国裁缝,正义者同盟盟员,1846 年底
　因同盟案件被捕;科隆共产党人案件(1852)的证人。——98。

贝克尔,奥古斯特(Becker, August 1814—1871)——德国政论家,正义者同盟
　瑞士支部的盟员,魏特林的拥护者;德国 1848—1849 年革命的参加者;50
　年代初流亡美国,为民主派报纸撰稿。——97。

贝克尔,海尔曼·亨利希(Becker, Hermann Heinrich "红色贝克尔" der "rote
　Becker" 1820—1885)——德国地方法院见习法官和政论家,科隆工人和业
　主联合会的领导人之一,民主主义者莱茵区域委员会委员(1848—1849),
　《西德意志报》发行人(1849 年 5 月—1850 年 7 月);1850 年底起为共产主
　义者同盟盟员,科隆共产党人案件(1852)的被告之一,被判五年徒刑;60
　年代是进步党人,后为民族自由党人;普鲁士第二议院议员(1862—1866),
　国会议员(1867—1874);1875 年起为科隆市长。——113、114。

倍倍尔,奥古斯特(Bebel, August 1840—1913)——德国工人运动和国际工人
　运动的活动家,职业是旋工;德国工人协会联合会创始人之一,1867 年起为
　主席;第一国际会员,1867 年起为国会议员,1869 年是德国社会民主工党
　创始人和领袖之一,《社会民主党人报》创办人之一;曾进行反对拉萨尔派
　的斗争,普法战争时期站在无产阶级国际主义立场,捍卫巴黎公社;
　1889、1891 和 1893 年国际社会主义工人代表大会代表;第二国际的活动
　家,在 19 世纪 90 年代和 20 世纪初反对改良主义和修正主义;马克思和恩
　格斯的朋友和战友。——133。

俾斯麦公爵,奥托(Bismarck［Bismark］, Otto Fürst von 1815—1898)——普鲁
　士和德国国务活动家和外交家,普鲁士容克的代表;曾任驻彼得堡大使
　(1859—1862)和驻巴黎大使(1862);普鲁士首相(1862—1872 和 1873—
　1890),北德意志联邦首相(1867—1871)和德意志帝国首相(1871—
　1890);1870 年发动普法战争,1871 年支持法国资产阶级镇压巴黎公社;主
　张在普鲁士领导下"自上而下"统一德国;曾采取一系列内政措施,捍卫容
　克和大资产阶级的联盟;1878 年颁布反社会党人非常法。——22、114、
　121、131。

比万（Bevan）——英国斯旺西市工联理事会主席，1887 年为在该市举行的工联代表大会主席。——10、19。

毕尔格尔斯，约翰·亨利希（Bürgers，Johann Heinrich 1820—1878）——德国政论家，《莱茵报》撰稿人（1842—1843），1846 年参加共产主义通讯委员会的活动，1848—1849 年是《新莱茵报》编辑；共产主义者同盟盟员，1850—1851 年是共产主义者同盟中央委员会委员，科隆共产党人案件（1852）的被告之一，被判六年徒刑；后为民族自由党人；60 年代为民族联盟盟员和杜塞尔多夫《莱茵报》的编辑。——113、114。

毕希纳，格奥尔格（Büchner，Georg 1813—1837）——德国剧作家，革命民主主义者，1834 年吉森秘密的革命组织人权协会的组织者之一，《告黑森农民书》的作者，曾提出"给茅屋和平，对宫廷宣战"的口号。——96。

庇护九世（Pius IX［Pio Nono］世俗名乔万尼·马里亚·马斯塔伊–费雷蒂 Giovanni Maria Mastai-Ferretti 1792—1878）——罗马教皇（1846—1878）。——26。

波尔恩，斯蒂凡（Born，Stephan 真名西蒙·布特尔米尔希 Simon Buttermilch 1824—1898）——德国排字工人，共产主义者同盟盟员；《新莱茵报》通讯员（1848 年 6—8 月）；德国 1848—1849 年革命的参加者，工人兄弟会组织者和领袖；1850 年被开除出共产主义者同盟；革命后脱离工人运动。——109、110。

波拿巴，路易——见拿破仑第三。

伯恩施太德，阿达尔贝特（Bornstedt，Adalbert 1808—1851）——德国政论家，小资产阶级民主主义者；《德意志—布鲁塞尔报》的创办人和编辑（1847—1848），1848 年二月革命后是巴黎德意志民主协会领导人；曾为共产主义者同盟盟员，后被开除出同盟（1848 年 3 月）；巴黎德国流亡者志愿军团组织者之一；曾与警察局有联系。——108。

伯恩施太因，阿尔诺德·伯恩哈德·卡尔（Börnstein，Arnold Bernhard Karl 1808—1849）——德国小资产阶级民主主义者，巴黎德意志民主协会领导人，巴黎德国流亡者志愿军团军事领导人。——108。

勃朗,路易(Blanc,Louis 1811—1882)——法国小资产阶级社会主义者,新闻
　　工作者和历史学家;1848 年临时政府成员和卢森堡宫委员会主席;采取同
　　资产阶级妥协的立场;1848 年 8 月流亡英国,后为伦敦的法国布朗基派流
　　亡者协会的领导人;1871 年国民议会议员,反对巴黎公社。——64、109、
　　112、133。

布朗基,路易·奥古斯特(Blanqui,Louis-Auguste 1805—1881)——法国革命
　　家,空想共产主义者,主张通过密谋性组织用暴力夺取政权和建立革命专
　　政;许多秘密社团和密谋活动的组织者,1830 年七月革命和 1848 年二月革
　　命的参加者,秘密的四季社的领导人,1839 年五月十二日起义的组织者,同
　　年被判处死刑,后改为无期徒刑;1848—1849 年革命时期是法国无产阶级
　　运动的领袖;巴黎 1870 年十月三十一日起义的领导人,巴黎公社时期被反
　　动派囚禁在凡尔赛,曾缺席当选为公社委员;一生中有 36 年在狱中度过。
　　——95。

布伦奇里,约翰·卡斯帕尔(Bluntschli, Johann Caspar 1808—1881)——瑞士
　　法学家和政治家;对革命运动参加者实行警察迫害的策划者之一;1843 年
　　为苏黎世州政府设立的瑞士境内德国共产主义流亡者活动调查委员会委
　　员和委员会于 1843 年公布的工作报告的起草人。——119。

C

查苏利奇,维拉·伊万诺夫娜(Засулич, Вера Ивановна 1851—1919)——俄
　　国民粹运动、社会民主主义运动的活动家,劳动解放社(1883)的创始人之
　　一;后来转到孟什维克立场。——11、15。

D

达尔文,查理·罗伯特(Darwin,Charles Robert 1809—1882)——英国自然科
　　学家,科学的生物进化论的奠基人。——7、13。

丹尼尔斯,罗兰特(Daniels,Roland 1819—1855)——德国工人运动活动家,职
　　业是医生,1846 年参加共产主义通讯委员会的活动;共产主义者同盟盟员
　　和领导人之一,1850 年起为同盟科隆中央委员会委员;科隆共产党人案件
　　(1852)的被告之一,被陪审法庭宣告无罪;第一批尝试把辩证唯物主义运

用到自然科学领域的人之一;马克思和恩格斯的朋友。——113、114。

但丁·阿利格埃里(Dante Alighieri 1265 — 1321)——意大利诗人。——
24、134。

杜林,欧根·卡尔(Dühring, Eugen Karl 1833 — 1921)——德国折中主义哲学
家和庸俗经济学家,小资产阶级社会主义者,形而上学者;在哲学上把唯心
主义、庸俗唯物主义和实证论结合在一起;在自然科学和文学方面也有所
著述;1863 — 1877 年为柏林大学非公聘讲师;70 年代他的思想曾对德国社
会民主党部分党员产生过较大影响。——128。

F

斐迪南一世(Ferdinand I 1793 — 1875)——奥地利皇帝(1835 — 1848)。——
23。

费奈迭,雅科布(Venedey, Jakob 1805 — 1871)——德国作家、政论家和政治活
动家,小资产阶级民主主义者;30 年代是巴黎流亡者同盟领导人,1848 —
1849 年是预备议会议员和法兰克福国民议会议员,属于左派;1848 — 1849
年革命后成为自由派。——95。

弗莱里格拉特,斐迪南(Freiligrath, Ferdinand 1810 — 1876)——德国诗人,
1848 — 1849 年为《新莱茵报》编辑,共产主义者同盟盟员;50 年代脱离革命
斗争,50 — 60 年代为瑞士银行伦敦分行职员。——114。

弗洛孔,斐迪南(Flocon, Ferdinand 1800 — 1866)——法国政治活动家和政论
家,小资产阶级民主主义者,《改革报》编辑,1848 年为临时政府成员;山岳
党人;1851 年十二月二日政变后被驱逐出法国。——108。

傅立叶,沙尔(Fourier, Charles 1772 — 1837)——法国空想社会主义者。——
11、19、60、63。

G

戈克,阿曼德(Goegg, Amand 1820 — 1897)——德国海关官员、政论家和新闻
工作者,小资产阶级民主主义者,1848 — 1849 年革命的参加者,1849 年是

巴登临时政府财政部长,革命失败后流亡国外;1862 年返回德国;日内瓦和平和自由同盟的创建人之一,国际会员;70 年代加入德国社会民主党。——112。

格律恩,卡尔(Grün,Karl 笔名恩斯特·冯·德尔·海德 Ernst von der Haide 1817—1887)——德国小资产阶级政论家,接近青年德意志和青年黑格尔派,40 年代中是"真正的"社会主义的主要代表人物;普鲁士制宪议会议员(1848),属于左翼,普鲁士第二议院议员(1849);1851 年起流亡比利时,1861 年回到德国,曾在美因河畔法兰克福高等商业工艺学校任艺术史、文学史和哲学史教授(1862—1865);1870 年到维也纳;1874 年出版路·费尔巴哈的书信集和遗著。——58。

H

哈克斯特豪森男爵,奥古斯特·弗兰茨(Haxthausen,August Franz Freiherr von 1792—1866)——普鲁士官员和作家,联合议会议员(1847—1848),后为普鲁士第一议院议员;写有描述普鲁士和俄国土地关系中当时还残存的土地公社所有制方面的著作。——27。

哈林,哈罗·保尔(Harring,Harro Paul 1798—1870)——德国作家,小资产阶级激进派;1828 年起曾数度侨居国外。——103。

哈尼,乔治·朱利安(Harney,George Julian 1817—1897)——英国工人运动活动家,宪章派左翼领袖;正义者同盟盟员,后为共产主义者同盟盟员;民主派兄弟协会创建人之一,《北极星报》编辑,《民主评论》、《人民之友》、《红色共和党人》等宪章派刊物的出版者;1862—1888 年曾数度住在美国;国际会员;曾同马克思和恩格斯保持友好联系;50 年代初和小资产阶级民主派接近,一度同工人运动中的革命派疏远。——9、102。

海德——见沃尔弗,弗里德里希·威廉。

海尔维格,格奥尔格(Herwegh,Georg 1817—1875)——德国诗人,小资产阶级民主主义者;1842 年起成为马克思的朋友,《莱茵报》等多家报刊的撰稿人;1848 年二月革命后是巴黎德意志民主协会领导人,巴黎德国流亡者志愿军团组织者之一;1848—1849 年革命的参加者,后长期流亡瑞士;1869

年起为德国社会民主工党（爱森纳赫派）党员。——108。

豪普特，海尔曼·威廉（Haupt, Hermann Wilhelm 约生于 1831 年）——德国店
员，维护帝国宪法运动的参加者（1849），运动失败后流亡瑞士，后流亡英
国；伦敦德意志工人共产主义教育协会会员，1850 年 10 月在汉堡成为共产
主义者同盟盟员，科隆共产党人案件（1852）的被告之一，在审讯期间作了
叛卖性的供述，审判前即被释放，1852 年迁居巴西。——113。

赫尔岑，亚历山大·伊万诺维奇（Герцен, Александр Иванович 1812—
1870）——俄国唯物主义哲学家、政论家和作家，革命民主主义者，1847 年
流亡法国，1852 年移居伦敦，在英国建立"自由俄国印刷所"，并出版《北极
星》定期文集和《钟声》报。——11。

黑格尔，乔治·威廉·弗里德里希（Hegel, Georg Wilhelm Friedrich 1770—
1831）——德国古典哲学的主要代表。——104、132。

J

基佐，弗朗索瓦·皮埃尔·吉约姆（Guizot, François-Pierre-Guillaume 1787—
1874）——法国政治活动家和历史学家，奥尔良党人；1812 年起任巴黎大学
历史系教授，七月王朝时期是立宪君主派领袖，历任内务大臣（1832—
1836）、教育大臣（1836—1837）、外交大臣（1840—1848）和首相（1847—
1848）；代表大金融资产阶级的利益。——26、120。

金克尔，哥特弗里德·约翰（Kinkel, Gottfried Johann 1815—1882）——德国诗
人、作家和政论家，小资产阶级民主主义者，1849 年巴登-普法尔茨起义的
参加者，被普鲁士法庭判处无期徒刑，1850 年在卡·叔尔茨帮助下越狱逃
跑，流亡英国；在伦敦的德国小资产阶级流亡者的领袖，《海尔曼》周报编辑
（1859）；反对马克思和恩格斯。——112。

K

卡贝，埃蒂耶纳（Cabet, Etienne 人称卡贝老爹 Père Cabet 1788—1856）——法
国法学家和政论家，法国工人共产主义一个流派的创始人，和平空想共产
主义的代表人物，《人民报》的出版者（1833—1834）；流亡英国（1834—

1839);《1841 年人民报》的出版者(1841—1851);曾尝试在美洲建立共产
主义移民区(1848—1856),以实现其在 1848 年出版的小说《伊加利亚旅行
记》中阐述的理论。——12、19、63。

卡佩,路易——见路易十六。

凯利-威士涅威茨基,弗洛伦斯(Kelly-Wischnewetzky, Florence 1859 —
1932)——美国社会主义者,后为资产阶级改良主义者,曾将恩格斯的《英
国工人阶级状况》一书译成英文;1892 年以前为波兰流亡者拉·威士涅威
茨基的妻子。——13。

科苏特,拉约什(路易,路德维希)(Kossuth, Lajos〔Louis, Ludwig〕1802 —
1894)——匈牙利政治活动家,匈牙利民族解放运动的领袖,1848—1849 年
革命时期领导资产阶级民主派,匈牙利革命政府首脑,革命失败后流亡国
外;50 年代曾向波拿巴集团求援。——112。

克莱因,约翰·雅科布(Klein, Johann Jacob 1817—约 1897)——德国医生,共
产主义者同盟盟员,科隆共产党人案件(1852)的被告之一,被陪审法庭宣
告无罪;60 年代初曾参加德国工人运动。——114。

克利盖,海尔曼(Kriege, Hermann 1820—1850)——德国新闻工作者,正义者
同盟盟员;“真正的”社会主义的代表人物;1845 年前往纽约,在那里出版
《人民代言者报》,宣传“真正的”社会主义思想,受到马克思和恩格斯的批
判;1848 年返回德国,成为德意志民主协会中央委员会委员;1848 — 1849
年革命失败后又一次流亡美国。——102—104。

库尔曼,格奥尔格(Kuhlmann, Georg 生于 1812 年)——奥地利江湖医生,自命
是“预言家”;40 年代利用宗教词句在瑞士的德国魏特林派手工业者中间
宣传“真正的”社会主义的思想;后来证实他是奥地利政府的密探。
——103。

L

拉弗尔,约翰(Lovell, John)——美国出版商和书商,曾出版恩格斯的《英国工
人阶级状况》一书。——13。

拉马丁,阿尔丰斯(Lamartine,Alphonse 1790—1869)——法国诗人,历史学家
和政治活动家,40年代为温和的资产阶级共和派领袖;第二共和国时期任
外交部长(1848),临时政府的实际上的首脑。——108。

拉萨尔,斐迪南(Lassalle,Ferdinand 1825—1864)——德国工人运动中的机会
主义代表,1848—1849年革命的参加者;全德工人联合会创始人之一和主
席(1863);写有古典古代哲学史、法学史和文学方面的著作。—— 10、
18、19、121、124、133。

赖德律(赖德律-洛兰),亚历山大·奥古斯特(Ledru[Ledru-Rollin],
Alexandre-Auguste 1807—1874)——法国政论家和政治活动家,小资产阶
级民主派领袖,《改革报》编辑;第二共和国时期任临时政府内务部长和执
行委员会委员(1848),制宪议会和立法议会议员(1848—1849),在议会中
领导山岳党;1849年六月十三日示威游行后流亡英国,1869年回到法国。
——64、112。

赖夫,威廉·约瑟夫(Reiff,Wilhelm Joseph 约生于 1824 年)——德国代理商,
共产主义者同盟盟员,1848年为科隆工人联合会会员,后为工人教育协会
书记,1850年被开除出共产主义者同盟,科隆共产党人案件(1852)的被告
之一,被判五年徒刑。——113、114。

勒南,约瑟夫·厄内斯特(Renan,Joseph Ernest 1823—1892)——法国宗教史
学家、哲学家和东方学家,写有基督教史方面的著作。——110。

勒泽尔,彼得·格尔哈德(Röser,Peter Gerhard 1814—1865)——德国工人运
动活动家,雪茄烟工人;1848—1849年为科隆工人联合会副主席,《自
由、博爱、劳动》的发行人;1850年为共产主义者同盟盟员,同盟科隆中央委
员会主席,科隆共产党人案件(1852)的被告之一,被判六年徒刑;后来成为
拉萨尔派。——113、114。

李卜克内西,威廉(Liebknecht,Wilhelm 1826—1900)——德国工人运动和国
际工人运动活动家,语文学家和政论家;1848—1849年革命的参加者,革命
失败后流亡瑞士,1850年5月前往英国,在那里成为共产主义者同盟盟员;
1862年回到德国;国际会员,1867年起为国会议员;德国社会民主党创始

人和领袖之一;《人民国家报》编辑(1869—1876)和《前进报》编辑(1876—1878 和 1890—1900);1889、1891 和 1893 年国际社会主义工人代表大会代表;马克思和恩格斯的朋友和战友。——133。

里夫斯,威廉·多布森(Reeves,William Dobson 1827 前后—1907)——英国出版商和书商;曾出版恩格斯的《英国工人阶级状况》一书。——13、18。

列列韦尔,约阿希姆(Lelewel, Joachim 1786—1861)——波兰历史学家和革命活动家;1830—1831 年波兰起义参加者,在法国和英国的波兰流亡者民主派领袖之一,1847—1848 年为布鲁塞尔民主协会副主席。——125。

列斯纳,弗里德里希(Leßner[Lessner],Friedrich 1825—1910)——德国工人运动和国际工人运动的活动家,职业是裁缝;共产主义者同盟盟员,1848—1849 年革命的参加者,1850 年为威斯巴登工人教育协会会员;1850—1851 年为美因茨工人教育协会主席和同盟美因茨支部领导人;在科隆共产党人案件(1852)中被判处三年徒刑,1856 年起侨居伦敦,伦敦德意志工人共产主义教育协会会员,国际总委员会委员(1864—1872),国际伦敦代表会议(1865)、洛桑代表大会(1867)、布鲁塞尔代表大会(1868)、巴塞尔代表大会(1869)、伦敦代表会议(1871)和海牙代表大会(1872)的参加者,不列颠联合会委员会委员;在国际中为马克思的路线积极斗争,后为英国独立工党的创始人之一;马克思和恩格斯的朋友和战友。——104、114。

卢格,阿尔诺德(Ruge,Arnold 1802—1880)——德国政论家,青年黑格尔分子,《哈雷年鉴》的出版者,《莱茵报》的撰稿人,1843—1844 年同马克思一起筹办并出版《德法年鉴》;1844 年中起反对马克思,1848 年为法兰克福国民议会议员,属于左派,50 年代是在英国的德国小资产阶级流亡者领袖之一;1866 年后成为民族自由党人。——112。

路易十六(Louis XVI 1754—1793)——法国国王(1774—1792),18 世纪末法国资产阶级革命时期被处死。——135。

路易-菲力浦一世(路易-菲力浦),奥尔良公爵(Louis-Philippe I[Louis-Philippe],duc d'Orléans 1773—1850)——法国国王(1830—1848)。——95—96。

吕宁,奥托(Lüning,Otto 1818—1868)——德国医生和政论家,40年代中是
"真正的社会主义"的代表,共产主义者同盟盟员;《威悉河汽船》
(1844)、《威斯特伐利亚汽船》(1845—1848)和《新德意志报》(1848—
1850)编辑;1866年后为民族自由党人。——117。

罗赫纳,格奥尔格(Lochner,Georg 1824—1910)——德国工人运动和国际工
人运动的活动家,职业是细木工;共产主义者同盟盟员;1848—1849年革命
的参加者,1851年底流亡伦敦;伦敦德意志工人共产主义教育协会会员;国
际总委员会委员(1864—1867和1871—1872),国际伦敦代表会议(1865
和1871)代表;马克思和恩格斯的朋友和战友。——104。

M

马拉斯特,玛丽·弗朗索瓦·帕斯卡尔·阿尔芒(Marrast,Marie-François-
Pascal-Armand 1801—1852)——法国政论家和政治活动家,人权社的领导
人,后为温和的资产阶级共和派领袖,《国民报》总编辑;第二共和国时期是
临时政府成员和巴黎市长(1848),制宪议会议长(1848—
1849)。——133。

马志尼,朱泽培(Mazzini,Giuseppe,1805—1872)——意大利革命家,民主主
义者,意大利民族解放运动领袖,意大利1848—1849年革命的参加者,
1849年为罗马共和国临时政府首脑;1850年是伦敦欧洲民主派中央委员
会组织者之一;1853年是米兰起义的主要领导人,50年代后反对波拿巴法
国干涉意大利人民的民族解放斗争;1864年成立第一国际时企图置国际于
自己影响之下,1871年反对巴黎公社和国际,阻碍意大利独立工人运动的
发展。——96、99、112。

麦克法林,海伦(Macfarlane,Helen 笔名霍华德·莫滕 Howard Morten)——英
国新闻工作者,革命宪章派领袖乔·哈尼出版的《民主评论》(1849—
1850)和《红色共和党人》(1850)的撰稿人,马克思和恩格斯的《共产党宣
言》的英文译者。——3、9。

毛勒,格奥尔格·路德维希(Maurer,Georg Ludwig 1790—1872)——德国历史
学家,古代和中世纪的日耳曼社会制度的研究者;写有中世纪马尔克公社

的农业史和制度史方面的著作。——27。

梅特涅——见梅特涅-温内堡公爵。

梅特涅-温内堡公爵,克莱门斯·文策斯劳斯·奈波穆克·洛塔尔(Metternich-Winneburg,Clemens Wenzeslaus Nepomuk Lothar Fürst von 1773—1859)——奥地利国务活动家和外交家,曾任外交大臣(1809—1821)和首相(1821—1848),神圣同盟的组织者之一。——26。

门特尔,克里斯蒂安·弗里德里希(Mentel,Christian Friedrich 生于1812年)——德国裁缝,正义者同盟盟员,1846—1847年因同盟案件被关在普鲁士监狱。——98。

摩尔根,路易斯·亨利(Morgan,Lewis Henry 1818—1881)——美国法学家、民族学家、考古学家和原始社会史学家,进化论的代表,自发的唯物主义者。——27。

莫尔,约瑟夫(Moll,Joseph 1813—1849)——德国工人运动和国际工人运动的活动家,职业是钟表匠;正义者同盟领导人之一,共产主义者同盟中央委员会委员,1848年7—9月是科隆工人联合会主席,民主主义者莱茵区域委员会委员;1848年科隆九月事件后流亡伦敦,不久改名回到德国,在各地进行宣传鼓动;1849年巴登-普法尔茨起义的参加者,在穆尔格河战斗中牺牲。——96、104、107、110、120。

穆尔,赛米尔(Moore,Samuel 1838—1911)——英国法学家,国际会员,曾将《资本论》第一卷(与爱·艾威林一起)和《共产党宣言》译成英文;50年代为曼彻斯特的厂主;马克思和恩格斯的朋友。——14、17—18。

N

拿破仑第三(路易-拿破仑·波拿巴)(Napoléon III［Louis-Napoléon Bonaparte］1808—1873)——法兰西第二共和国总统(1848—1851),法国皇帝(1852—1870),拿破仑第一的侄子。——22。

尼古拉一世(Николай I 1796—1855)——俄国皇帝(1825—1855)。——6、16、23、26。

诺特荣克,彼得(Nothjung,Peter 1821—1866)——德国裁缝,科隆工人联合会会员(1848)和共产主义者同盟盟员,1849年5月埃尔伯费尔德起义的参加者,共产主义者同盟科隆中央委员会特使(1850年11月—1851年5月);科隆共产党人案件(1852)的被告之一,被判六年徒刑;后为全德工人联合会派驻布雷斯劳的全权代表。——113、114。

O

欧文,罗伯特(Owen,Robert 1771—1858)——英国空想社会主义者。——11、19、60—61、63。

P

蒲鲁东,皮埃尔·约瑟夫(Proudhon,Pierre-Joseph 1809—1865)——法国政论家、经济学家和社会学家,小资产阶级思想家,无政府主义理论的创始人,第二共和国时期是制宪议会议员(1848)。——10、18、19、59、109、118、124、129。

普芬德,卡尔(Pfänder,Carl 1819—1876)——德国微型画画家,德国工人运动和国际工人运动的活动家,1845年起侨居伦敦,正义者同盟盟员,伦敦德意志工人共产主义教育协会会员;1849年巴登-普法尔茨起义的参加者,起义失败后流亡英国;共产主义者同盟中央委员会委员,1850年共产主义者同盟分裂后支持马克思和恩格斯;国际总委员会委员(1864—1867和1870—1872);马克思和恩格斯的朋友和战友。——104。

R

茹柯夫斯基,尤利·加拉克季昂诺维奇(Жуковский,Юлий Галактионович 1822—1907)——俄国资产阶级庸俗经济学家和政论家;国家银行行长;曾撰写《卡尔·马克思和他的〈资本论〉一书》一文,攻击马克思主义。——134。

S

沙佩尔,卡尔(Schapper,Karl 1812—1870)——德国工人运动和国际工人运动的活动家,正义者同盟的领导者之一,伦敦德意志工人共产主义教育协会创建人之一,共产主义者同盟中央委员会委员;1848—1849年革命的参加者;民主主义者莱茵区域委员会委员,该委员会案件(1849年2月8日)的被告之一;1849年2—5月为科隆工人联合会主席,《新莱茵报》撰稿人;1850年共产主义者同盟分裂时为冒险主义宗派集团的领袖之一;1856年起重新同马克思和恩格斯接近;国际总委员会委员(1865),1865年伦敦代表会议的参加者。——75、95、96、102、107、110、113、114、144。

圣西门,昂利(Saint-Simon, Henri 1760—1825)——法国空想社会主义者。——60。

施梯伯,威廉(Stieber, Wilhelm 1818—1882)——普鲁士警官,普鲁士政治警察局局长(1852—1860),科隆共产党人案件(1852)的策划者之一和主要原告证人;同卡·维尔穆特合编《19世纪共产主义者的阴谋》一书;普奥战争(1866)和普法战争(1870—1871)时期为军事警察局局长,在法国境内的德国情报机关的首脑。——94、105。

叔尔茨,卡尔(Schurz, Carl 1829—1906)——德国政论家,小资产阶级民主主义者,1849年巴登-普法尔茨起义的参加者,起义失败后流亡瑞士,加入秘密组织"革命集中";1852年迁居美国,站在北部方面参加美国内战,美国共和党领袖之一,曾任美国驻西班牙公使,后为参议员和内政部长(1877—1881)。——111。

W

维尔穆特,卡尔·格奥尔格·路德维希(Wermuth, Carl Georg Ludwig 1803—1867)——德国警官,汉诺威警察局长,科隆共产党人案件(1852)的策划者之一和原告证人;同威·施梯伯合编《19世纪共产主义者的阴谋》一书。——94、105。

维利希,奥古斯特(Willich, August 1810—1878)——普鲁士军官,1847年起为共产主义者同盟盟员,1849年巴登-普法尔茨起义中为志愿军团首领;1850年共产主义者同盟分裂时同卡·沙佩尔一起组成反对马克思的冒险主义宗派集团;1853年侨居美国,站在北部方面参加美国内战,任将军。——110、111、113、114。

魏特林,克里斯蒂安·威廉(Weitling, Christian Wilhelm 1808—1871)——德国工人运动活动家,正义者同盟领导人,职业是裁缝;空想平均共产主义理论家和鼓动家;工人同盟的创始人,《工人共和国报》的出版者;1849年流亡美国,晚年接近国际工人协会。——12、19、97—100、103、111、113、119、132。

沃尔弗,弗里德里希·威廉(Wolff, Friedrich Wilhelm 鲁普斯 Lupus 1809—1864)——德国无产阶级革命家和政论家,职业是教员,西里西亚农民的儿子;1834—1839年被关在普鲁士监狱;1846—1847年为布鲁塞尔共产主义通讯委员会委员,共产主义者同盟创始人之一和同盟中央委员会委员(1848年3月起),《新莱茵报》编辑(1848—1849),民主主义者莱茵区域委员会和科隆安全委员会委员;法兰克福国民议会议员,属于极左派;1849年流亡瑞士,1851年迁居英国,1853年起在曼彻斯特当教员;马克思和恩格斯的朋友和战友。——75、105、107、109、120。

X

西斯蒙第,让·沙尔·莱奥纳尔·西蒙德·德(Sismondi, Jean-Charles-Léonard Simonde de 1773—1842)——瑞士经济学家和历史学家,政治经济学中浪漫学派的代表人物。——54。

席尔,卡尔——见沙佩尔,卡尔。

Y

雅科比,阿伯拉罕(Jacobi, Abraham 1830—1919)——德国医生,波恩体操联合会创建人和会长(1850—1851),共产主义者同盟盟员和特使,科隆共产党人案件(1852)的被告之一,被陪审法庭宣告无罪,但因被控"侮辱国王陛下"而继续被监禁;1853年流亡英国,后迁居美国,在美国的刊物上宣传马克思主义思想;站在北部方面参加美国内战,后为纽约医学科学院院长(1885—1889),一些医学院的教授和院长,写有医学方面的著作。——114。

亚历山大三世(Александр III 1845—1894)——俄国皇帝(1881—1894)。——6、16。

纪念马克思诞辰 200 周年

《马克思恩格斯著作特辑》
编审委员会

责任编辑：杜文丽

装帧设计：肖　辉　周方亚

责任校对：白　玥

图书在版编目（CIP）数据

共产党宣言/马克思,恩格斯著;中共中央马克思恩格斯列宁斯大林著作编译局
　编译. —北京:人民出版社,2018.3(2022.10重印)
（马克思诞辰200周年纪念特辑）
ISBN 978－7－01－018971－0

Ⅰ.①共…　Ⅱ.①马…　②恩…　③中…　Ⅲ.①马列著作-马克思主义　Ⅳ.①A122

中国版本图书馆CIP数据核字(2018)第033806号

书　　　名　共产党宣言
　　　　　　GONGCHANDANG XUANYAN

编　译　者　中共中央马克思恩格斯列宁斯大林著作编译局

出版发行　人民出版社
　　　　　　（北京市东城区隆福寺街99号　邮编　100706）

邮购电话　（010）65250042　65289539

经　　　销　新华书店

印　　　刷　北京中科印刷有限公司

版　　　次　2018年3月第1版　2022年10月北京第17次印刷

开　　　本　787毫米×1092毫米　1/16

印　　　张　13.25

插　　　页　6

字　　　数　155千字

印　　　数　742,001-762,000册

书　　　号　ISBN 978－7－01－018971－0

定　　　价　35.00元